JN049822

らっても病院にはクスリがない。結果として家にとどまる人が多く、感染者も発症者も自宅で静養せざるを得ない。自身の免疫力で治る人もいる。治らずに死亡する人もいる。

自力で治る者は治れ、生き残れない者は死ねと言わんばかりの状況に、武漢市民は事実上捨て置かれた。彼らは当局発表の「感染者」にも「死者」にも数えられていない。中国の国民にも国際社会にも、犠牲者の実態が正しく伝えられることなど望めないのである。

一党独裁体制の下では必ずといってよいほど、国民の命も幸福も、社会の安寧も、軽んじられる。社会を蝕む異常や不条理に関する情報はみな隠される。国民生活は息苦しくなり、弱い人ほど苦しめられる。党や国の面子（めんつ）の前に、多くの国民は命さえ奪われる。これが習近平政権の現実である。

中国政府は日本政府に邦人輸送を許可するかわりに、膨大な医療物資の提供を要求した。彼らは武漢ウイルスが蔓延し始めると直ちに世界各国でマスクをはじめとする医療物資の大量購入に着手した。供給源をおさえようとしたのだ。

典型的な事例がマスクである。世界のマスクの80％を生産していたのが中国だったが、彼らは中国で日本企業が日本向けに生産していたマスクを、在庫も含めて全て接収した。法的根拠は2010年に成立し、有事の際は外国企業も中国政府の命令に従わなくてはならないと定めた国防動員法だった。日本企業のマスクが接収され、それを彼らは日本の地方自治体や種々の組織に中国の善意として贈り、日本人が感謝して喜ぶという構図が現実となった。医療物資の供給源をおさえた中国は強気だった。20年3月4日、中国共産党の機関メディア、新華社は社説でこう主張した。

「我々には、米国は中国に謝罪し、世界は中国に感謝すべきだと言う権利がある」

彼らは当時、武漢発のウイルスは恰も米国発であるかのように情報操作中だった。それにしても何と言う厚顔無恥か。

新華社は社説でこうも主張した。

「中国は医薬品の輸出規制をすることも可能だ。その場合、米国はコロナウイルスの大海に沈むだろう」

今更ではあるが、世界は中国貿易に深く依存していることから生ずる脆弱性に気付かされた。そしてこのような状態こそ、実は習氏が狙っていることなのだ。武漢ウイルスが世界に拡散し始めた2020年4月、中国共産党内の会議で習氏はこう語っている――「経済面で国際社会の中国依存を高め、外国による部品などの供給停止に対抗できる強い抑止力を持つようにせよ」「わが国への依存を強め、外国への強力な反撃・抑止力を形成しなければならない」。これが2019年12月8日の武漢ウイルス発生を機に露呈された中国の本質である。


22年2月24日、ロシア軍が国境を越えてウクライナを侵略した。国連の常任理事国であり、世界で最も多い約6000発の核弾頭を有する核大国が核を持たない隣国に攻め入った。プーチン氏は3月3日、フランスのマクロン大統領に目的達成まで攻撃はやめないと宣言した。プーチン氏の目標ははっきりせず、一体何を最終目標としているのか分かりにくいが、明らかなのは無数の命を奪ってでもウクライナの国土を奪いとろうとする異常な決意だ。その先にロシアとベラルーシ、ウクライナはひとつの国、ひとつの民族であるというプーチン氏の歴史修正の考え方が透けて見える。プーチン氏の間違った歴史認識に基づけば、ベラルーシ、ウクライナ両国を併合するのがロシア帝国の歩むべき道だという結論になる。中国共産党の台湾に対する考え方と瓜二つである。プーチン氏の野望を支えるのが「我々は核大国だ」という恫喝（どうかつ）から見てとれる自国の核の力への思い入れであろう。

プーチン氏には国連憲章や国際法を尊重する意思はない。国連の常任理事国として担うべき世界秩序維持の責任も自覚していない。氏は、祖国がソ連邦解体で超大国の地位から滑り落ちたこと、さらにその後に生まれたロシアが不当に扱われているとの恨みつらみで一杯だ。

冷戦終結から約30年、私たちはいま初めて、歴史に不条理な恨みを抱き、核の使用をいとわない専制独裁者の出現に直面した。第二次世界大戦後に築かれてきた国際社会の秩序が根底から覆されているのである。

戦後体制は見事に崩壊した。ドイツのショルツ首相はその事実に気がついた。専制独裁者が核を持って暴力で目的を達成しようとするとき、立ち向かうのに、外交的話し合いだけでは到底、不可能だと、雷に打たれたように覚醒し、年来の対露宥和（ゆうわ）策、軍事的努力よりも経済的利益の追求を優先してきた路線を一夜にして反転させた。

ショルツ氏は矢継ぎ早に打ち出した。ロシアからドイツに天然ガスを輸送する海底パイプライン「ノルドストリーム２」は完成しており、あとは運転を開始するだけだったが、ロシア軍がウクライナ国境を越えて軍事攻撃を加え始めたのを見た氏はこの認可手続きを凍結した。ウクライナ軍にヘルメット５０００個を供与するとしていたのを対戦車兵器１０００基、携帯型地対空ミサイル「スティンガー」５００基の供与へと鮮やかに切り替えた。殺傷兵器は供給しないというドイツのパシフィズム（平和主義）政策を捨て去り、国防費を国内総生産（GDP）比2％超に即、引き上げると宣言した。

それから1年以上が経過した。ウクライナ侵略戦争が2年目に入り、この原稿を書いている2023年6月、戦いは高度に複雑化し続けている。米国を始めとするNATO諸国は、当初ウクライナに供与しようとしなかった最新型戦車を筆頭に戦闘用の武器装備の供与を開始した。米軍によるF16戦闘機のウクライナ軍のパイロットに対する訓練が米国アリゾナ州で「習熟イベント」として始まった。23年5月19日に開幕した広島での先進7か国首脳会議（G7）にはウクライナのゼレンスキー大統領が対面参加し、西側世界は改めてウクライナ支援で結束した。バイデン氏はこれまで消極的だったF16戦闘機のウクライナへの供与を、第三国経由の形をとることを条件に了承した。戦争の規模拡大が十分に考えられる。

広島サミットに先立つ3月21日、岸田首相はウクライナの首都キーウを訪れ、ゼレンスキー氏と会談し、ウクライナの勝利の日まで援助すると確約した。同じタイミングで習近平氏はモスクワにプーチン氏を訪ねた。習氏は侵略者の側に立ち、中国の国益、経済的利益追求の姿勢をとった。プーチン氏を従者の如く、自分の影響下に置いた習氏は、戦争を停戦に導く平和の仲介者のイメージ作りを進めている。帰国後、続けざまに、マクロン仏大統領、フォンデアライエン欧州委員長に会うなど、経済力を軸にした取り込み外交を展開中である。

日本はウクライナ同様、ロシアの脅威に直面するが、それだけではない。中国の脅威にも北朝鮮の脅威にも直面している。二つの核大国にはさまれ、予測が難しい金王朝の脅威にも向き合い、航空自衛隊の戦闘機が日々、緊急発進（スクランブル）をしているのは世界中で日本だけである。日本を取り巻く環境が世界一厳しいことを、私たちは鋭く感じとって日々を暮さなければならない。尋常ならざる危機の中で私たちは暮しているのだ。

プーチン氏のウクライナに対する核の恫喝が成功すれば、中国は台湾に同じ手を打ってくるだろう。日本に対しては尖閣諸島（沖縄県石垣市）も沖縄県も中国領だと主張し、核で脅す可能性も十分にある。

日本を狙う中国は、ロシアよりはるかに手ごわい。習近平国家主席はプーチン氏のように、世界に丸見えの形で手荒なまねはせず、狡猾な手を使うだろう。100万人ともいわれるウイグル人を収容する巨大施設をつくり、世界のメディアや中国人民の目からも見えない形で陰惨なジェノサイド（集団殺害）を進めているその戦略性と静かなる残忍さを私たちは忘れてはならない。

いざ有事のとき、日本国はどうするのか。男たちは戦うか。お年寄りや女性や子供たちを避難させるとして、行く先はあるのか。日本を守る海は国民の逃げ道を塞ぐ海にもなる。平和を信ずる国であるから地下壕もない。どうするのだ。

ドイツは一瞬で国際政治の本質を理解して、戦後、ずっとその中に沈み込んでいたパシフィズムから目醒めた。日本はドイツよりも尚目醒めが必要だ。なんといってもわが国は国民を守るインフラが出来ていない。軍事力整備は穴だらけだ。こんな脆弱な姿で厳しい国際環境を無事に生き抜くことは難しい。その冷厳な事実を認識して、目醒めないで一体どうするのか。

先進7か国の内、米英仏は核保有国だ。独伊は米国と核を共有し、国防の要（かなめ）となしている。共有とはいえ主体は米国だ。米国依存である。日本も米国との核共有について議論すべきだと、安倍晋三首相は提起した。米国との意思疎通を十分に行ったうえで、百年に一度の危機の到来を前にして、全ての可能性について深く考える必要があるのである。しかし、米国と究極の国防体制について語り合う前に、ひとつ、どうしても日本人の力でしておくべきことがある。日本が軍事を忌避し、結果として国の運命を左右する軍事問題についてほぼ、無知であり続けているその原因となっている現行憲法の改正である。

本書は中国共産党が創立100周年を迎えた2021年7月以降今日までの中国の姿を辿った。今やロシアを従え、グローバルサウスを懐柔しながら日本への静かな侵略を続ける「異形の敵」の実態から、日本のあるべき姿が見えてくるはずだ。

異形の敵　中国　目次

第四章　彼らに誤解させてはならない

第五章　問われる日本の覚悟

異形の敵　中国

第一章　膨張する中華帝国

創立100年、中国共産党の弱点を知れ

中国共産党が創立100年の記念式典を迎えたのは2021年7月1日だった。人民服に身を包んだ習近平総書記（国家主席）は65分間という、習氏にしては短い演説を行った。党100年の歴史に対する強烈な自負が読み取れる。中国共産党、というより習氏が目指すところは何なのか。彼が描く中国の自画像を私たちはよくよく把握しておきたい。なぜなら私たちはこれからも長い間、中国の脅威に向き合って生きていく宿命にあるからだ。

習氏は宣言している。

「中華民族は世界における偉大な民族である」、にも拘わらず、「中国は1840年のアヘン戦争以降半植民地、半封建社会となり、国家は屈辱を受け、人民は苦しみ、文明はほこりにまみれ、中華民族は前代未聞の災禍に見舞われた」。以来、「中華民族の偉大な復興が中華民族の偉大な夢となった」「その中国に共産党が生まれた。これは天と地が創造されたほどの大事な出来事だった」。

中国共産党の出現は中国にとって天地創造に等しいのだと言う。天地を創り出した中国共産党総書記として、習氏は厳かに宣言した。

「中華民族が搾取され、辱めを受けていた時代は過ぎ去ったことを世界に厳かに宣言する」

習氏は拳を振り上げるような勢いで語った。

「中国を救えるのは社会主義だけである。中国を発展させられるのは中国の特色ある社会主義だけである」

「世界に厳かに宣言する。中華民族が立ち上がり、豊かになり、強くなるという偉大な飛躍を迎えて、中華民族の偉大なる復興の実現は不可逆的な歴史の歩みに入った」

くっきりと浮かび上がってくるのが、西側の自由主義や資本主義よりもマルクス主義こそが優れているとの考えだ。そして恐らくそれよりもっと大事なことは自身が説く「中国の特色ある社会主義」こそ、中国の秀逸性の絶対的な核心だという点であろう。

習氏の世界への向き合い方の基本には、米国を筆頭とする資本主義・自由主義陣営を絶対に受け入れることはできないという言葉に見られるように、米国への強い敵愾心がある。そのまた内側には、歴代指導者の中で、「中国の特色ある社会主義」を導き出した自分にのみ中華民族を真に導く天命が下されているという自負心がある。

優れた指導者たる自身の下に中華民族は団結せよと呼びかけたのが、天地創造の中国共産党100周年の記念演説であろう。習氏は強調した。新時代に入った中国において、人民解放軍（PLA）は党の絶対的な指導力を維持し、世界一流の軍隊となる。人類運命共同体の理念を掲げ新しい国際関係を構築しなければならない。新しい道のりにおいて、鉄を叩くには鉄よりも硬くなければならないとの道理を忘れない。党を厳格に統治するという政治的自覚を永遠に持たなければならない、と。習氏の目指すところがはっきりと見えてくる演説である。

習演説を報じた日本のメディアの多くが台湾を見出しにとった。「台湾問題を解決し、祖国の完全な統一を実現することが中国共産党の歴史的任務」、「台湾独立のたくらみも断固として粉砕」、「中国人民が国家主権と領土を完全に守るという強い決心、意志、強大な能力を見くびってはならない」などの部分を引用して、中国の戦闘的姿勢を強調した。

台湾に関する発言は一番最後の方に出てくる。文字にして一段落分の短い言及ではあるが、台湾問題の解決が祖国の完全統一の実現であり共産党の歴史的任務だと強調し、どんなことがあっても台湾統一は実現すると釘を刺している点は、従来から少しも揺らいでいない。

「習近平思想」への自負

だが、断固とした鉄の意志を語った習氏にも少なからぬ弱点がある。国民の団結を呼びかけ、中国共産党の「ありがたさ」を説いた氏がさまざまなことを「厳かに宣言した」相手、即ち米国については直接的に言及することはなかった。日本についても名指しの言及は避けている。

なぜだろうか。習氏はいま、意外にも息をひそめているのだ。中国共産党はウイグル人弾圧をジェノサイドとされるなど、四面楚歌だ。まともな国はどこも中国の行為を認めない。習氏にとってこれが如何に苦々しく口惜しいことか。こうした弱味をさらに追及されないように、策略を巡らしているのである。その最大の理由は2022年2月に予定している北京冬季五輪を面子にかけて大成功に導きたいからだ。そのために今だけ大人しくしていると見てよいだろう。

この熱烈演説の2日前、習氏は「七一勲章」授与式に臨んだ。七一勲章とは市井の暮らしの中で自分の職務に忠実に黙々と奉献する平凡な英雄に贈られるもので、中国共産党の最高の勲章とされる。七一勲章を受けた「人民」の中に、尖閣諸島などで跋扈(ばっこ)する海上民兵が含まれていた。尖閣奪取は台湾併合と背中合わせの中国共産党の宿願である。授与式で習氏は次のように国民を諭した。

「全党の同志はマルクス主義に対する信条、中国の特色ある社会主義に対する信念を生涯追い求めなければならない。「永遠に党を信じ、党を愛し、党のために働き、各持ち場で必死に頑張り、崇高な理想のために奮闘する実践を絶えず前に推し進めていかなければならない」」。

党への絶対的信頼、絶対的服従、熱烈な愛を要求している。その党の根本を導くのが習氏自身の思想だと言っている。国民に要求する絶対的信頼や永遠の愛は全て習氏に集中されるべきだという理屈だ。毛沢東への個人崇拝の再来である。

先の建党100周年の記念講演で習氏は語った。

「100年前、中華民族が世界の前に示したのは一種の落ちぶれた姿だった。今日、中華民族は世界に向けて活気に満ちた姿を見せ、偉大な復興に向けて阻むことのできない歩みを進めている」

なぜ中華民族は力強く蘇ることができたのか。その理由は、毛沢東が中国を「立ち上がらせた」、鄧小平が「豊かにした」、自分が「中国を強くした」からだとする。その上で自分の唱える中国の特色ある社会主義だけが中国を発展させることができる、と幾度も強調し、繰り返す。「カギとなるのは党だ」「中国共産党がなければ新中国はあり得ない。中華民族の偉大な復興もない」「中国共産党の指導が中国の特色ある社会主義の最も本質的な特徴だ」。

自分の思想があって初めて中国は成り立つ。中華民族の偉大さも「習近平思想」ゆえに実現されると信じて疑わない。絶対的支配者の自画像である。

右の二つの演説に習近平氏の描く中国の未来の路線が明確に示されている。或る意味、わかりやすい。中国が少しでも開かれた民主国になり、穏やかな大国になってほしいとする日本、米国など大方の希望とは根本的に異なる路線だ。中国人民が中国共産党を唯一の政党として信頼し、その頂点に立つ指導者の自分を敬い慕い続ける国を習氏は目指している。

外交専門雑誌「フォーリン・アフェアーズ」は21年7・8月号で「中国は台頭し続けられるか」として特集した。その中に興味深い論文があった。ミシガン大学政治学部の准教授、ユエン・ユエン・アン氏による「北京のドロボー貴族」だ。

地方政府の借金は4兆ドル

アン氏は中国の汚職は鄧小平のときに進化したと断ずる。鄧は中国を豊かにするためにひたすらカネを生み出す現実路線をとったが、党に忠誠である限り、腐敗も許したというのだ。

結果、想像を絶する腐敗が横行した。彼女が挙げたなかに鉄道担当大臣の実例がある。彼は350室の大マンション1棟と一緒に1億4000万ドル（約154億円）の賄賂を受け取っていた。他にも100人の愛人のハーレムを持ち、現金3トンをためこんでいた高官もいた。3トンの現金とはいったいどれほどの額なのだろうか。劇画のヒールそのものである。

摘発によってこのハチャメチャな汚職の実態は中国国民の知るところとなった。そして汚職の形態はやがてもっと進化し、土地のリースが主軸となった。中国では国土は全て国が所有し、誰も買い取ることはできない。しかし借りることはできる。そこで地方政府などは元々タダの国土を法外な値段でリースし始めた。99年以降の20年間で、地方政府の歳入は土地のリースによって120倍にふえ、共産党のコネを利用した土地のリースが横行した。共産党が糸を引けば金融機関から無尽蔵の融資が受けられる。一部の者が天にも届くカネを手にし、実体経済とかけ離れた好景気が続いた。結果地方政府の借金は4兆ドル（440兆円）に達し、破綻地獄に近づいている。

習氏はこうした汚職追放に力を入れたが、その追放や改革はルールに基づくのではなく、習氏につながる人脈を保護する形で恣意的に行われているにすぎない。これでは中国経済の真の立て直しは困難だというのがアン氏の見立てで、少なからぬ専門家が共有する解釈でもある。

毛沢東は戦略に優れていたが、最後は文化大革命の暴力に溺れて死んだ。毛沢東を見習う習氏にも根本的な弱点がある。その弱点は悉く（ことごと）わが国の国柄の対極にある。誰に尋ねても中国共産党の国よりも、わが国の方が人民、国民を幸せにすると言うだろう。ここがわが国の強味である。

わが国の為政者や経済人は果たしてそのことに気づいているか。わが国のよき点、国柄に示されている国民中心のあり方をしっかりと理解している指導者ならば、祖国日本への信頼を基盤にして、中国の弱点を逆手にとる賢い政策で対応できるはずだ。両国の対照的国柄を明確にして、国益につなげていける局面だが、それができているとは思えない。日本人は政治家、経済人、国民一人一人に至るまで、果敢に価値観の闘いに挑むための、知識と勇気を身につけるときだろう。

中国はいま、北京での冬季五輪を前にして、ウイグル人ジェノサイドを指摘されている。歴史から見れば一瞬の短さではあろうが、中国が弱さの中にあるのは間違いない。この隙を突いて、日本国の弱さを克服することを考えよう。その一例として眼前の尖閣の危機がある。尖閣を守る手立てを講ずるのだ。何よりも、自衛隊の強化と憲法改正に向かって走るときだろう。

（２０２1年7月15日号）

【追記】

２年程前の２０２０年、習近平中国国家主席はウイグル人ジェノサイドに関してだけでなく、武漢ウイルス発生に打つべき手も打たず、国際社会に通告することもなくその蔓延を許したことで非難されていた。同年初頭から、日本にも中国人によって武漢ウイルスが国内に持ち込まれ拡散された。安倍晋三首相は感染者が増え続ける中、東京五輪をどうするか判断を迫られた。20年3月24日、国際オリンピック委員会のバッハ会長と会談し、安倍首相は五輪開催の1年延期、21年夏までの開催で合意した。同決定について「朝日新聞」を筆頭に反対論が巻き起こった。朝日の反対は想定の範囲内だった。だが、東京五輪は朝日の非難とは正反対に大成功をおさめた。外国から多くの選手や関係者が来日して武漢ウイルスが広がるなどと言われたが、それも起こらなかった。振りかえればあの厳しい状況下で、日本国は政府も国民も、大いなる努力と我慢で危機を乗り切ったのだ。日本人として大いに誇ってよい。

必要なのは尖閣諸島での「日米共同訓練」だ

1年遅れの東京五輪の閉幕があと数日に迫っている。卓球、体操、水泳、陸上と、応援する側も忙しい。準備の人たちも選手たちも懸命だ。この一所懸命さ、絶対に諦めずに最後まで責任を果たす姿は誠実さと美しさそのものだ。裏方の人たちも表で競う選手たちも皆すばらしい。中でも池江璃花子さんが女子競泳400メートル・メドレーリレーを泳ぎきって、一緒に泳いだ選手たちと抱き合って号泣し、泣いた後、晴れやかな笑顔で「幸せ！」と語った姿は、きっとずっと記憶に残るだろう。

日本中が五輪で盛り上がっている間にも、世界と中国との対立は深まり続けている。57年前の1964年、東京五輪にぶつけるタイミングで核実験をやってのけたように、中国はいつも相手国の不意を突く。「言論テレビ」は五輪の最中の2021年7月30日、陸海空自衛隊の元幹部を迎えて中国の危機が迫る尖閣と台湾を取り上げた。

元陸上幕僚長の岩田清文、元空将の織田邦男、元海将の堂下哲郎の三氏は、いずれも軍事の専門家として台湾も尖閣も、日台両国は完全に中国の戦略にはまっていると危惧した。尖閣諸島周辺海域にはほぼ毎日、中国人民解放軍（ＰＬＡ）傘下の海警の船が侵入し続けている。海上保安庁の巡視船は口頭で退去を求めるが、中国側には通用しない。日本政府は、領海侵犯される度に「遺憾である」、「尖閣諸島の施政権はわが方にある」と同じ台詞を繰り返す。

国際社会の目には、日中双方の船が毎日せめぎ合っている尖閣の海は、両国の共同管理下にあるように見えるだろう。「尖閣問題に関して日中間に領土問題は存在しない」と日本政府は主張するが、中国側が尖閣海域への侵入を開始して10年以上が経ったいま、残念ながら「領土問題は存在する」状況になっている。中国の戦略が功を奏しているのだ。

台湾情勢も中国の圧力の前で日本同様非常に厳しい。「単独では風前の灯（ともしび）」である。岩田氏が指摘した。

「台湾の窮状は空において最も顕著です。２０２０年10月に、台湾空軍の参謀長がその年の１月から10月までの緊急発進の回数を発表しました。４５９６回、異常な回数でした。台湾は極度な緊張下に置かれています」

悪魔のような執拗さ

10か月で４５９６回ということは１日平均で15回以上になる。中国機やロシア機はわが国にも接近を繰り返している。回数は年々増えており、過去5年間の平均で見ると、中国機への緊急発進は６２４回に上る。航空自衛隊は毎日、２回緊急発進していると考えてよい。たとえ１回であろうと２回であろうと、日々緊急発進を迫られるのは戦闘機乗りにとっても航空自衛隊全体にとっても大きな負担だ。ところが台湾空軍は毎日15回だ。ＰＬＡは悪魔のような執拗さで、台湾を圧迫する。そこで何が起きているか。岩田氏が続けた。

「台湾空軍が音を上げたのです。パイロットは緊張の毎日で心身共にもちません。空軍としては機体の整備も十分にできない。燃料代もバカにならない。そこでやむなく緊急発進はかけないというところに落ちついたのです」

中国軍機の接近に対して台湾空軍が緊急発進をかけなくなったということの、軍事上の意味を、織田氏が語った。

「深刻です。台湾は平時の対領空侵犯措置をギブアップしたことになります。これでは台湾空軍は訓練もできません。事故もあり得るし、機体整備の必要性もあるということで、台湾軍機を（空へ）上げていないのですが、はっきり言って敗北です」

平時の領空主権は国際法上絶対的で排他的だ。たとえばトルコ政府は15年11月、ロシア軍機を撃墜した。トルコ、ロシア両国は戦争状態にあるわけではなく、両国関係は平時の関係だった。ところが、ロシア軍機はシリアへの空爆を開始し、トルコ領空を侵犯し始めた。トルコは領空侵犯機に5分間で10回の警告を発した。それでもロシア機が従わなかったためにトルコは国際法に基づいて撃墜した。

プーチン大統領は激怒し、7か月後、トルコが「深い哀悼の意」を表明して、事件は決着した。だが、大事なことは、トルコには国際社会からもロシアからも報復はなかったという点である。

「領空主権という絶対的主権を持っているのが国家なのです。それを守らなければ国家ではないのです。台湾が自分たちは国家だと考えるのであれば、ここは苦しくても緊急発進を続けなければならないと思います」

織田氏が台湾の現状を厳しく指摘するのは、領空主権を守ることの重要性を骨身にしみて知っているからであろう。氏は35年間、戦闘機のパイロットとしてスクランブル発進も含め、日本の空を守ってきた。日本上空に向かってくる中国軍機は全てミサイルの実弾で武装している。当然自衛隊機も同様に武装している。制空権を奪われたら最後、海でも陸でも勝目はなくなる。国の運命を担って日々領空を守るために、国際法に厳密に従いつつ、決して相手につけ入る隙を与えないように実弾装備で日本の空を守り続けた織田氏の指摘を心に刻みたい。

領土は奪った方が勝ち

空自機は、中国軍機が「上がった」という情報を摑んだら、即時緊急発進して中国軍機よりも先に尖閣上空に到着する。

「我々がそこに先にいれば、中国軍機は入って来れませんから」と織田氏。

日米両国は台湾（台湾海峡）の安定と平和を守ると国際社会に向けて公約した。中国が台湾を押さえれば、台湾海峡は日本の瀬戸内海のような形で中国の内海となる。日本のタンカーや貨物船が自由に通ることもかなわなくなるだろう。南シナ海への展開も難しくなり、日本はまさに危機に陥る。台湾と尖閣・沖縄さらに日本は一体なのである。

クリミア半島や南シナ海の島々の例が教えてくれていることは、領土は奪った方が勝ちということだ。領土が奪われたその当座は被害国も国際社会も声を上げるが、暫く時間が過ぎると、やがて皆、黙ってしまう。奪った側は実効支配の実績を積み重ねていけばよいだけだ。だから、領土は決して奪われてはならない。

いま、中国が尖閣に手を出さないのは、米軍と事を構えたくないからだ。しかし一旦、有事となれば、必ずこちらが守り通せるといえない状況がある。この状況にどう打ち勝つかは、何よりも、日米の結束と力を中国に見せつけることだ。ひとつの方法として、八つの尖閣の島のひとつである久場島を日米両軍が共同訓練の場として活用する手がある。

久場島には高い山はなく、平地が広がっている。米軍はずっとこの島で軍事訓練をしていたが、1978年に米国務省が久場島での軍事訓練を凍結した。理由は79年1月に米国が中国と国交を正常化すると決定したからだ。

いま、その凍結を解くよう、米国を説得するのがよい。台湾海峡の平和と安全にコミットした菅義偉首相は、尖閣を守り通すためにも、日米両軍の結束を強調してみせることで、自らの約束を果たせるのでないか。

（2021年8月12・19日号）


【追記】

小野寺五典元防衛相は2013年4月29日、安倍政権下で初めて防衛大臣に就任したとき、日米防衛大臣会合で当時のカウンターパートだったチャック・ヘーゲル国防長官に久場島における合同軍事訓練を実施しようと持ちかけた。

「ヘーゲル国防長官の返事はありませんでした。アメリカはいつも、米中或いは日中でどちらが先にエスカレーション・ラダーを上げたか、緊張の度合いをどちらが先に高めたかということを注意深く見ています。先に緊張を高める側にはアメリカは立たないということです。ですから何も言わなかったのでしょう」と小野寺氏は語った。

現状を見れば、日本政府は現在も久場島を射爆場として米軍に提供している。米軍は１９７８年に使用を停止したが、それは米中両政府が国交を樹立したからであろう。尖閣諸島における日米合同訓練の目的は射爆の練度を上げる為なのであるから、国交のあるなしにかかわらず、当然のこととして行ってよいはずである。小野寺氏はこう語った。

「本来なら日米両軍で艦砲射撃の訓練もしてよいと思います。しかしそうしたことについてはアメリカ側もわが国の外務省も慎重です。ならばもっと柔い演習をするのがよいと思います。たとえば海難救助の訓練です。このようにして尖閣諸島を日米で使うことが、ここは日本の領土であると示すことになります」

岸田文雄首相にはそれが出来るだろうか。

アフガン陥落、米中再接近も視野に

２０２1年8月15日、アフガニスタン全土がタリバンの手に落ちた。タリバンの勢力が首都カブール近郊に迫ったその日、米軍の大型輸送機が低く空を飛び交い、米国人や米国に協力したアフガニスタン人の国外脱出が加速した。空港は大混乱に陥り、バイデン大統領もブリンケン国務長官も、タリバン勢力の全土制圧の速度は「予想以上だった」と認めた。タリバンとの20年戦争にアメリカは惨敗したのである。

米国の敗北の意味は深刻だ。

8月19日、バイデン氏ばＡＢＣニュースの花形アンカー、ステファノポロス氏の番組で苦しい弁明を強いられた。

ステファノポロス氏は事態急変前にバイデン氏が「タリバンが（アフガニスタンを）奪回することはほとんどない（highly unlikely）」と語ったことについて、状況の読み違えはなぜ起きたのか、米国情報機関の情報分析が間違っていたのかと質した。

バイデン氏は口ごもりながら答えている。

「タリバンが（米国が支援してアフガン政府が統治していたアフガン全土を）奪回できるかどうかの見通しにはある前提があった……」

「米国が訓練した30万人のアフガン部隊、我々は彼らに武器・装備を整えてやった。その30万の軍が簡単に崩壊し、屈伏してしまうとは誰も予想しなかった」

ステファノポロス氏は喰い下がった。マコーネル上院議員はインテリジェンス報告に基づいて、タリバンによる全土奪回は予想できたと語っていたとし、アフガン情勢の混乱は、情報当局の失敗なのか、それを受けての撤退計画、遂行、判断の誤りなのかと質した。

対してバイデン氏は答えた。

「アフガン政府のリーダーが飛行機に飛び乗って逃げた。30万の軍は装備を捨て去り消えた。それが現実に起きた事実なんだ」

戦略論の大家、インドのブラーマ・チェラニー氏は米国の敗北は自ら招いたものだと断ずる。アフガンにおける屈辱は国際社会における米国への信頼を無残な形で傷つけたと、次のように書いた。

「年老いた大統領が現地の状況を考慮せず、将軍や情報当局の考えを排除して、非現実的で欠陥だらけの行動計画を実施せよと命令すれば、外交が悲劇的結果に落ち込むのは当然だ。全土をテロリストに掌握されたアフガニスタン情勢への国際非難はそっくりそのまま、歴代大統領の中でも最も年老いたジョー・バイデンの家の玄関先に刻むべきだ」

日経の英字版サイトでチェラニー氏が展開した展望は示唆に富んでいた。21年7月27日、アフガン陥落の直前に氏は以下のように書いた。

「米国がアフガンにおける軍事拠点としていたバグラム空軍基地から（夜中に）撤退したとき、彼らは20年にわたるアフガニスタン戦争を終えた。中国は私的会話では米国の敗走に笑いを噛み殺すのに懸命だ。空白地帯となったアフガン。豊富な鉱物資源の宝庫であるアフガン。中央アジア、南アジア、南西アジアの交差点にあるアフガンほど地政学的に魅力的な国はない。北京は『中パ経済回廊』をアフガンの首都カブールとつないで一帯一路ビジネスを促進するだろう」

チェラニー氏は中国の思惑をこのように解説したが、中国とパキスタンの密接な関係は1971年にニクソン大統領の密使としてキッシンジャー大統領補佐官がパキスタンの協力を得て秘密裡に中国を訪ね、それが歴史的な米中国交回復につながったことにも明らかだ。

中国はパキスタンと密な関係を築く中で、タリバンとも接近した。「1996年にタリバンがイスラム教カリフの国を宣言したとき、中国は非イスラム国の中で一番早く関係を樹立した」とチェラニー氏。

氏はこうも指摘する。

「新疆ウイグル自治区の首都ウルムチとカブールに航空路線が開かれた日に、ニューヨークの世界貿易センタービルにハイジャックされた航空機が突っ込んだ。その同じ日、カブールを訪れた中国代表団はタリバンと経済技術協力合意に署名した。タリバンが米軍によって権力の座から追われると、北京は目立たない形でパキスタン軍との絆を維持し、タリバン指導者らはパキスタンに逃げ込み、パキスタン軍は彼らを守った」

つまり、タリバンの支配下に入るアフガンはパキスタンの影響を受けるだけでなく、中国の戦略をも助けることになるという意味だ。米国の脱アフガンは中国にアフガンに力を及ぼす道筋をつけてやるだけでなく、パキスタン、イラン、中央アジアに深く浸透していく好機を与えるということだ。

米軍が軍事的にコミットする基準は

20年にわたる米国の戦争をこのような形で終わらせたことの深い影響についてどこまで考えているかは分からないが、ABCニュースでバイデン氏はもうひとつ、重要なことを語っている。氏が8月16日にホワイトハウスの会見で語ったこと、つまり米国はどのような場合に軍事的にコミットするかの基準と重なるものだ。

バイデン氏はこう述べた。

「アフガンと台湾、韓国、北大西洋条約機構（NATO）との間には根本的な違いがある。米国は（それらの国々と）内乱に基づかない合意をした。彼らは統一された政府を持つ」

バイデン氏は度々言い間違いをする。文章も完結する前に、曖昧な形で次の文章に移る場合が多い。右の発言もその一例だが、出来るだけ正確に訳したつもりだ。ポイントは、バイデン氏が、米国が各国と結んだ安全保障条約は「内乱・内戦（civil war）に基づかない」合意だと述べている点だ。その中にバイデン氏は台湾を入れている。中国は台湾問題は「国内問題」だと主張する。もし軍事紛争になっても、それは内乱或いは内戦であるから、他国は介入してはならないという主張だ。バイデン氏は続けた。

「我々は聖なる第5条を守ると誓約している。第三者がNATO諸国を侵略すれば、我々は反撃する。日本に対しても同様だ。韓国に対しても同様だ。台湾に対しても……」とここで一拍おいて言った。「……同様だ。（アフガニスタンの事例と）較べるべきではない」。

バイデン発言は安全保障問題担当大統領補佐官、ジェイク・サリバン氏の会見でも取り上げられた。8月17日、ホワイトハウスのプレスルームで、記者が尋ねた。

「朝鮮戦争は内戦として勃発した。米国が内戦ではない争いにだけコミットするのなら、同盟国はどうしたらよいのだ。中国は台湾問題を国内問題だと言う。韓国はどうするのか」

サリバン氏がアフガン戦争を振り返り20年間に米兵2448人が戦死したなどと説明を始めると、質問者が遮った。「内戦の定義について答えてくれ」。

「台湾は根本的に異なる問題で……」とサリバン氏が話し始めると、質問者は「朝鮮戦争は内戦だが米国は……」と再び遮った。結局、サリバン氏は米国の軍事介入の基本論理についてきちんと説明ができなかった。同盟国が米国との関係に不安を抱く一因となるのは間違いない。

20年前の悪夢は繰り返すのか

米国の威信低下に加えて日本にとって重大な変化が起きる可能性がある。16日の会見でバイデン氏はテロリスト勢力はがん細胞のように転移・拡大中だと次のように語った。

「ソマリアのアルシャバーブ、アラビア半島のアルカーイダ、シリアのアルヌスラ（タハリール・アルシャーム）、シリアとイラクに領地を築きつつあるＩＳＩＳ、アフリカ大陸とアジアにもテロ勢力は広く拡張中だ」

これから間違いなくテロ勢力の集結地になると見られるアフガニスタンはパキスタンの隣国で

あり、パキスタンがタリバンを匿ったことはすでに指摘した。彼らの持つ１６０発の核の一部がテロリストの手に渡る日が来ることも考えなければならない。

中国は、イスラム原理主義のタリバンをはじめとするテロ勢力が、中国内のイスラム教徒、ウイグル人に働きかけることに強い警戒感を抱いているはずだ。現実を見れば、中国はイスラム原理主義勢力のウイグル人への影響の遮断に成功している。それは中国全土に配備している少なくとも2億台、多い場合は5億台とも言われる監視カメラと地獄の規律と言われる厳しい取り締まりゆえであろう。チェラニー氏はアフガニスタンと新疆ウイグル自治区の境界はわずか76キロメートルしかないこと、さらにその道は人も通れない高い山々の連なる道だと指摘する。この厳しい自然環境もウイグル人とタリバン勢力などとの接触を不可能にしている要因である。

米中関係について、ここで私は20年前の苦い記憶を思い出す。９・11のテロ攻撃に見舞われたブッシュ大統領は、それまで戦略的ライバルと位置づけ警戒していた中国への姿勢を一転させた。中国がイスラム教徒のウイグル人をテロリストだと言い、彼らの言うテロリスト情報をブッシュ氏に提供した。イスラム教徒のテロリスト情報を渇望していた米国はいとも簡単に中国との協調関係に入ったのだった。中国に騙されて、それまでの中国に対する警戒心を解いてしまったのである。ブッシュ政権の犯した過ちのひとつだ。

今また、20年前と同じではないのか。バイデン大統領は、米国が中東から手を引くのは中国への対処に集中するためだと語った。日本や台湾にとって心強い姿勢である。だが、バイデン氏は本当にその路線を守り通せるのだろうか。万が一、バイデン氏が中国に接近する場合はどうなるのか。

この点こそ、日本にとって最大の地政学的、戦略的懸念である。

米国のアフガン撤退を中国はどう見ているか。中国通信はバイデン米大統領が21年8月31日にアフガンからの軍撤退を完了すると発表した直後、「米国は世界最大のトラブルメーカー」「責任投げ出し大王だ」と口汚く罵った。一方で環球時報は復旦大学客員教授、マーティン・ジャック氏の論文を掲載した。ジャック氏は超大国アメリカは急速に衰退しており、アフガンでは人心の収攬が必要だったのに、単なる軍事力の展開をしたためにそれができなかったと批判した。氏は、中国が同じような形でアフガンに侵入する可能性はゼロだと書き、中国は一帯一路の核心である経済開発をアフガンにもたらすと持ち上げた。氏は米中を比べてこうも書いた。アメリカはその誕生以来膨張を旨としてきたが、中国はひたすら自国の安定と開発を求めただけで、膨張することはなかった、と。絵に描いたような提灯記事を載せたのだ。

現在、私たちは、まさにその日、中国がイスラム原理主義勢力のタリバンと経済技術協力の合意を交わしたことを知っている。当時、ブッシュ政権が中国に抱いたのと同じ幻想を、バイデン氏が抱く事態は悪夢に等しい。明らかなことはただひとつ、わが国はどんな状況下でも自らを守り、国民を守り通すことのできる十分な強さを身につけておかなければならないということだ。

（2021年9月2日号）


【追記】

アフガニスタンの鉱物資源調査をアメリカの地質調査所（USGS）が行い、画期的な結果が出たと、国家基本問題研究所理事の奈良林直氏が報告した。

ＵＳＧＳのジャック・メドリン氏ら専門家で構成するチームが、地下10キロまでの岩盤の３次元情報を得ることのできる特殊航空機、資源探査衛星を用いて、有望とされた地点にヘリコプターで降下し、１か所１時間以内の調査で、テロリスト勢力が来襲する前に退避するという作業を繰り返して情報を収集した。これをアフガニスタンがソ連の占領下にあったときの資料と突き合わせて分析した。

「この調査は、実は２０１１年に実施されていたのです。世界有数の埋蔵量を誇る金、銅、鉄、リチウム、ウランなどの鉱床が7か所で見つかっています」と奈良林氏。

「ハイテク産業や再生可能エネルギー製品に必須のレアアースであるルビジウムの大きな鉱床も見つかりました。南部ヘルマンド州のレアアース推定量は少なく見積もって１００万トンと発表され、１兆ドルを超えるとされました」

中国がもくろむ「中パ経済回廊」は新疆ウイグル自治区のカシュガルからパキスタン南西部のグワダル港を結ぶ一帯一路戦略の一大プロジェクトである。グワダル港は中国がパキスタンを債務の罠に突き落として40年間の使用権を取得済みだ。そのような中、アフガニスタンを安定させて、一帯一路の要衝として組み込むことができれば、一帯一路のビジネスはイスラム過激派から邪魔されることもなく、中国は膨大な資源と力を得ることになる。

だが、このような力で影響圏を広げても、そこに広がるのは中華帝国にすぎない。そのような展開を阻止するとしたら、その原点は、自由陣営の協力しかない。

このことについての揺らがぬ結束を保てるかが両陣営の戦いの勝敗を分けることになるだろう。

中国「TPP加盟申請」への正しい対処法

米英豪3か国が、安全保障の枠組み「AUKUS」を創設し、米英が連携して原子力潜水艦の技術を豪州に提供すると発表したのが2021年9月15日だった。

当事国3首脳の発言要旨は以下の通りだ。

豪州首相モリソン氏はAUKUSが歴史に培われた信頼に基づくもので、我々は自由、人権、法の支配、各国主権の独立性、諸国の友好関係を守る立場に立つとして述べた。

「この価値観に基づく限り、我々は、互いに、決して置き去りにされない。いつも一緒だ。決してひとりではない」

豪州はこれまで常に強い米国と同一歩調をとってきた。広大な大陸を有するとはいえ、人口も経済も小規模な豪州は祖国防衛のためにも常に米国を味方にしておく必要がある。

モリソン氏はさらにこう述べている。

「AUKUSの最初の主たる目的は英米両国と緊密に協調して原子力潜水艦隊を豪州に作ること

です。豪州のアデレードで作ることになります。但し、原子力潜水艦に核戦力を装備する計画はなく、核不拡散条約は明確に守り続けます」

英首相ジョンソン氏はＡＵＫＵＳはインド太平洋地域の安全と安定のための枠組みだと述べて、原子力潜水艦の技術協力がいかにあり得ないほど凄いかを強調した。

「この強力な技術を入手する決定を下した国も、またその技術移転を決意した国も、まさに世紀の決断を下した。（その決定に値するほど）豪州は最も古い友人の一人であり、一族の一員であり、民主主義国であり、この計画に値するパートナーである」

米大統領のバイデン氏は、同盟関係を強化し、今日と明日の脅威によりよく対応するための策だとしたうえで、「これは原子力で推進する潜水艦の建造であり、核戦力を装備する潜水艦の建造ではないことをとりわけ明快にしておく」と注意喚起した。

３か国の内どの国の首脳も中国の名を口にしなかったが、それは余りにも明らかだった。西太平洋のみならず、南太平洋に着実に勢力を拡大し、米豪間を海上でブロックしかねない中国に対峙する軍事協力の枠がＡＵＫＵＳである。

元々豪州はディーゼルエンジンの通常型潜水艦建造をフランス企業と契約していたが、これを破棄してでもＡＵＫＵＳを実現しなければならないという切実な事情があった。世界で3番目に広いＥＥＺを持つ豪州は、中国の脅威に対処するためにも強力な潜水艦を必要としている。豪州とディーゼルエンジンの潜水艦共同開発の契約をしていたフランス企業は納期を守れなかっただけでなく、費用も当初案の倍近い９００億豪ドル（約７・２兆円）に膨れ上がった。

自衛隊関係者は潜水艦12隻の建造費がなぜ7兆円を超える巨額になるのか、理解できないと語る。一方で、この莫大な額を考えれば、大使召還に発展したフランスの怒りも理解できるだろう。フランスにとっては全てが寝耳に水だった。最後まで秘密にされたことに加えて、大規模ビジネスを米国に奪われた恨みは深いはずだ。しかし、繰り返すが、フランスの恨みを買ってでも、豪州は米国の原潜技術が欲しかった。米国はその豪州の願いを聞き入れてこれまで英国以外には与えたことのない原子力潜水艦の技術を豪州に与えることにしたのである。

この件について、インドは複雑な反応を示している。豪州はよくやったという前向きの反応がある一方、なぜ米国は豪州だけを特別扱いするのか、という反発だ。インドは豪州同様、4か国安全保障協議体、Ｑｕａｄの一員であり、この何年間か、米国に原潜及びステルス戦闘機を要請してきた。にも拘わらず、インドは豪州のような特典に浴していない、不公平ではないかという不満は誇り高いインドなら当然だろう。

アフガニスタンからの米軍撤退によって、タリバン、パキスタン、中国の結束が強まり、結果として最大の危機に直面するのがインドだという分析は、大方の戦略家の一致するところだ。それだけに今回の件も相俟って、インドの米国に対する不満は募る。

一方、どの国よりもＡＵＫＵＳに警戒心を強めたのが中国である。彼らは素早く動いた。翌日の16日にＴＰＰ（環太平洋経済連携協定）への参加を正式に申請したのだ。軍事的に中国を包囲しようとする米英豪に対して、経済的手法で反撃しようという意図だ。

全ての既存ルールに従えるか

ＴＰＰは単なる太平洋圏を巡る貿易・経済協定ではなく、世界最重要の経済圏における力のバランスを左右しようとする戦略的戦いの枠組みである。その視点から米紙「ウォール・ストリート・ジャーナル」（WSJ）は9月23日の社説で「バイデン政権はAUKUS戦略の成功に乗って、TPPに再加盟し、太平洋圏における権益を増進できる」と、TPP復帰を促した。

AUKUS創設に見られるように、国際社会の新たな枠組みはいずれも米中両大国がこれからの世界秩序、価値観の戦いを制するための手段となる。経済、軍事を含む多くの断面から見ることが欠かせない。従って中国のTPPへの加盟申請について、日本はあくまでも慎重に、多角的に考えるのがよい。AUKUSは原子力潜水艦を豪州のために建造するが、それは莫大な資金を投入して視野の広い産業を育てるという軍事を超えた経済戦略の一面を併せ持つ。逆にTPPは経済を超えて、世界情勢を左右するパワーバランスの問題なのだ。

中国のTPP加盟申請は関係各国に衝撃となって伝わり、1週間後、台湾が続いて申請した。茂木敏充外相は「歓迎したい。戦略的観点や国民の理解も踏まえて対応したい」とコメントした。中国の申請に関して「歓迎」という表現を避けたのとは対照的だ。しかし、国内の議論を見ると、「中台の同時加盟案も一案だ」（9月24日、日経朝刊）などの意見が散見されたことに私は驚いている。日経の報道は往々にして親中にすぎるとの想いを改めて抱いた。

TPPは当初「環太平洋戦略的経済連携協定」と呼ばれていたように、中国の身勝手、国際法や常識に反する行為を許さないための戦略と位置づけられていた。国有企業を優遇し、ウイグル人などを強制労働に駆り立て、他国の企業から最先端技術を奪い取ることなど、許容できないという国際社会の合意であり、有体に言えば中国に対抗するための枠組みだった。

安倍晋三首相は、しかし、やがて「戦略的」の三文字を言わなくなった。注意深い表現に徹するようになった。そしてＴＰＰのルールを守れば如何なる国も歓迎すると言い始めた。アジアの小さな国々はそうした安倍外交に安心したと言っている。考えてみれば、中国がＴＰＰのルールさえきちんと守ってくれれば、排除する必要はないのである。

では、習近平氏の下で中国は多少なりとも常識の通ずる国になったか。ルールを守る国になったか。否である。それどころか、以前よりずっと酷い国になりつつある。だからこそ、今のままの中国の加盟は歓迎できない。中台同時加盟などどの国の為にもならない。

ならば、如何にして中国の申請に対処するか。その第一は、先述のように、ＴＰＰは中国のような横暴で国際法違反常習国の行動を認めないために創った枠組みであることを忘れないことだ。目標の明確な再認識が必要だ。

第二に、加盟申請に対して、交渉を開始するかどうかを決める基準を守ることだ。シンクタンク国家基本問題研究所の企画委員で明星大学教授の細川昌彦氏が語った。

「６月に英国の加盟交渉の開始を決定した際、ＴＰＰの全ての既存ルールに従うための手段を示さなければならないとしました。これをモデルケースにすべきです」

ＷＴＯ加盟時に吐いた大嘘

ＴＰＰの全てのルールに従うと、言葉で誓約するだけでは不十分である。ＴＰＰのルールに従うために国内法を改正し、ＴＰＰの価値観に反する制度、たとえば少数民族弾圧のような悪行が行われている場合、具体的にいつまでに、どのように改善するか、またそれを如何に検証するか、などを示さなければならない。

この点で英国との交渉が6月に始まったのは本当に幸いだった。英国の事例を中国に適用するのがよい。英国のようにすべてを明確にしたとき初めて交渉に入れるようにするのがフェアというものだ。

世界は中国が如何にしてWTOに加盟したかを忘れてはならない。巧みに米国を取り込み、騙したではないか。当時の首相朱鎔基氏が美しく感動的なスピーチをしてみせ、多くの米国人を虜にした。その過程で多くの約束を交わした。しかしWTO加盟から20年近く経ったいまも、多くの約束は全くといってよいほど、履行していない。

TPPの中心軸を成す日本がしっかりする時なのである。中国と安易に交渉を始めてはならない。交渉に入る前に、中国にTPPの全てのルールを守ると誓約させること。それがWTOにおける嘘と同じでないことを証明させるよう、TPPのルール遵守のためにどの国内制度をどう変えるのか、どの法律をどう変えるのか、具体的に示すよう、穏やかに、しかしキッパリと求めるのがよい。それなしには交渉自体を始めてはならない。

まず英国に加盟の道を開き、中国よりずっと準備の整っている台湾との交渉に入り、台湾加入を実現するのが国際社会全体にとって最善の道であろう。そのためにTPP加盟国に十分な説明と説得を行うことが欠かせない。また同時に粘り強く、米国を呼び戻すことが大事だろう。

トランプ前大統領がTPPを離脱した2017年以降、米国の対中姿勢は大きく変化した。提示の仕方によっては、米国は超党派で再加盟に挑戦する価値があると、WSJも社説で強調している。米国は決して戻ってこないなどと、悲観しないことだ。TPPを本来の目的に基づいて機能させることが、米国抜きでTPPをまとめた日本の特権であり、責任だ。この目的達成には強い信念と楽観が必要だが、日本にそれができないはずはない。

（２０２１年10月７日号）

【追記】

中国に強い危機感を抱かせたＡＵＫＵＳ（豪州、英国、米国）の結びつきは豪州のスコット・モリソン首相の下で決断された。モリソン氏は自由党党首として２０１８年８月から22年５月まで政権を担った。この間にモリソン氏は対中関係を顕著に引き締めた。ファイブアイズ（米英豪加ニュージーランド）のなかでまっ先にファーウェイを締め出す決断をした。武漢ウイルスの発生源を突き止めるために国際調査をすべしと公の場で発言したのもモリソン首相と豪州外相のマリース・ペイン氏だった。

中国はモリソン政権の豪州に厳しい報復措置を講じた。それは半端な規模ではなかった。豪州の牛肉、ワイン、大麦、石炭、ロブスター、木材資源などの輸入禁止や貿易制限を行った。文字どおり、ありとあらゆる分野で豪州製品の輸入を止めて、豪州の息の根を止めようとした。中国はその意思に逆らう者を叩き潰す、残酷で冷酷な国だと実感した豪州の人々は、中国の脅威に改めて目醒めたとはいえ、その攻勢の凄まじさに音を上げた。

ここで豪州事情に詳しい専門家が、日本人が心に刻んでおくべき二つのセットの数字を挙げた。７６４と９４２である。７６４は日本の輸入石炭の７割、鉄鉱石の６割、ガスの４割が豪州からきているという意味だ。９４２は同じく砂糖、牛肉、小麦である。つまり、エネルギーから食料まで、日本は豪州にとても依存している、お世話になっているということだ。オージービーフの名で牛肉をたくさん輸入していることは多くの人が知っているだろうが、砂糖の9割、石炭の7割、鉄鉱石の6割などには驚くのではないか。

私たちは台湾がパイナップルやマンゴーなどの果物貿易で中国に叩かれたとき、こぞって台湾産のパイナップルなどを購入して助けた。結果として台湾からの輸入はパイナップルが8倍、農産物全体は17・5％増えたといわれ、台湾人への精神的支援にもつながった。豪州に対しても同じような連帯の気持ちを持つことが必要だろう。

中国の脅威を実感する中でＡＵＫＵＳが成立したが、ＡＵＫＵＳの性格はＴＰＰ及びＱｕａｄ（日米豪印のゆるやかな連帯）と較べるとよりよく理解できる。ＴＰＰは本稿で書いたように経済を前面に出して各国体制の価値観、統治の実態をチェックするものだ。Ｑｕａｄは4か国のゆるやかな協力態勢であり、中国に気を使うインドに配慮して軍事的な色合いは濃くない。ＡＵＫＵＳは軍事協力を前提にした強い同盟関係である。

中国への警戒心を緩めなかったモリソン首相は22年5月に総選挙で敗北し、政権は労働党に移った。新首相のアルバニージー氏は親中派で知られる元首相のラッド氏と大親友で、ラッド氏の下で副首相を務めた。

だが、政権交代後も豪州の対中基本戦略は変わらなかった。アルバニージー氏はＡＵＫＵＳを堅持するとしたうえで、米英の原子力潜水艦の豪州への寄港を２０２０年代にふやす、30年代には米国のバージニア級原子力潜水艦を3隻または5隻購入する、その後は英国に技術支援を仰いで米国の戦闘システムを載せた「ＡＵＫＵＳ潜水艦」を英国と豪州それぞれで共同開発するという3段階の道筋を明らかにした。豪州の強い意志に日本も見習うのがよい。

強さを維持できないバイデンの対中政策

米国の対中政策が変化している。「中国とは強い立場から交渉する」と言ってきたバイデン米大統領が、強さを維持できていない。岸田新政権はこの米中関係の変化を見てとり、全ての面で日本の地力を強める手立てを急がなければならない。

振り返れば、ブリンケン国務長官は上院での指名承認公聴会で、中国によるウイグル人の扱いを「ジェノサイド」と認めた。その厳しい対中姿勢は2021年3月18日、アラスカにおける米中会談での楊潔篪中央政治局委員との烈しいやりとりにつながった。

ブリンケン氏の中国に対する姿勢の厳しさは、バイデン氏の対中姿勢と一致しているはずだ。現にアラスカ会談のひと月前の2月10日に行われた米中首脳電話会談でも、バイデン氏の強気は明らかだった。

米中首脳の初の電話会談は2時間も続いた。双方が発表した情報から、習近平氏が「両国関係の改善」を熱望し、米中協力の必要性を訴えることに時間を割いたことが見てとれる。

習氏が特に強調したのが米中対話の枠組みを再構築することだった。バイデン政権が人権問題などで強く出てくることは織り込み済みだ。中国は状況が不利な時は時間稼ぎをする。それがハイレベル対話の再開であろう。意思疎通の機会を増やすことで、リスクを管理しやすい状況を作る思惑があったと考えるべきだ。

一方、バイデン氏は、習氏の求める「対話」や「協力」とは距離を置く姿勢をとり、中国が中国封じ込めの枠組みと見て強く反発している「自由で開かれたインド太平洋」戦略の維持が政権の優先事項だと明言した。香港、台湾に対する中国の圧政に関しても、米国の「根本的な懸念」を伝えている。

中国側は米中関係について、「協力」や「対話」という言葉を両首脳の発言として強調したが、米側は「関与」というより控え目な表現にとどまっており、中国の方が米中関係の維持に前のめりであったことが読みとれる。

こうした中、4月14日、バイデン氏が重要な演説をした。9月までにアフガニスタンから撤退、軍事力を中東からアジアに移し、中国の脅威に対処する方針を明確に語った。そのために、日本を含む同盟諸国の協力拡大を求めた。

2日後の16日に、バイデン氏は就任以来初めての対面首脳会談にわが国の菅義偉首相をホワイトハウスに招いた。米国の要請に応える形で菅氏は、自衛隊を強化し、日米同盟をさらなる高みに引き上げ、日米間の協力で抑止力を強化すると語った。国土、文化など主権に関わることについては絶対に譲歩しないとも語った。これら全ては中国を念頭にした発言で、日本政府はルビコン河を渡ったと論評された。

だが、バイデン氏のアフガン撤退作戦はこれ以上ない程、拙劣だった。7月2日、アフガン全土を監視できるバグラム空軍基地を捨てて、米軍は文字どおり夜陰にまぎれて撤退した。この時点で中東における米国の信頼は崩れたに違いない。タリバンは勢いづき、一気に全土制圧に向かった。

中国が突きつけた「二つのリスト」

丁度この頃、米国務副長官のシャーマン氏が中国の天津を訪れ、王毅国務委員兼外相と会談した。王毅氏は高圧的とも言える対応に終始し、中国側はファーウェイ副会長、孟晩舟氏の釈放を含む対米要求事項の数々を長いリストにして渡した。

米軍のアフガン敗走の負の効果は中国による米国への侮りとなって外交交渉に影を落としている。アフガンからの惨めな敗走を世界中が目撃した後、8月末から9月2日にかけてジョン・ケリー大統領特使（気候変動問題担当）が天津を訪れた。9月1日にはベテランの解振華氏に会っている。ケリー氏はCO_2を削減しなければ地球が滅びるとでも考えているような人物だ。米中関係には多くの懸案事項があるが、それらに関わりなく、ケリー氏は「世界2大CO_2排出国は純粋に協力しなければならないと、中国に懇願した」（9月2日、ウォール・ストリート・ジャーナル紙）。

だが中国はCO_2のことなどほとんど気にしていない。彼らにとってケリー氏のような環境問題が全てだと思い込んでいる人物は〝カモネギ〟である。CO_2削減に協力してやるか否かで条件闘争ができるからだ。予想どおり、中国側は気候変動問題だけを特別扱いにはできない、中米関係全体の中で考える、と冷たく言い放った。このとき中国側は米国に提出済みの「二つのリスト」に回答せよと求めたという。

二つのリストとは、①米国が必ずやめなければならない誤った言行のリスト、②中国が重大な関心を持つ重点個別案件のリストである。

前者は、中国共産党員およびその家族のビザ制限、中国の指導者・政府高官・政府部門への制裁、中国人留学生へのビザ制限、中国企業や孔子学院への圧力などについてであり、先述の孟晩舟氏の引き渡し要求も入っている。後者は、中国人留学生の訪米ビザ申請の拒絶などを解除すること等だといわれる。

「貿易戦争で米国に勝利した」

国際社会で米国への信頼が揺らぐ中、9月9日、バイデン氏は習近平氏と2度目の電話会談に臨んだ。中国側は会談は「米国側の求めに応じて」行ったと報じた。応じてやったと言うわけだ。

WSJ紙によると、約90分の会談で、習氏はもっぱら米国批判に終始したが、2大国は共に働けるとの楽観的見通しも示した。同紙はバイデン氏は特別の目的を定めて会談に臨んだわけではないが、バイデン氏に対しては米国経済界が中国からの輸入品に対する懲罰的関税の削除を交渉してほしいと圧力をかけていると報じた。バイデン氏の国内政治における立場は苦しく、氏は中国が要求した二つのリストを丸呑みしたと、批判された。

現に、孟晩舟氏は9月24日に解放された。ファーウェイは中国政府とは無縁の民間企業だという主張を展開した孟氏は中国共産党のシンボルカラーである真っ赤なドレスで深圳の空港に舞い降りた。テレビ局は帰国の模様を延々と生中継し、人民日報は「中国は貿易戦争で米国に勝利した」と狂喜の社説を掲げた。

バイデン政権発足10か月目にして、米中関係は変わりつつある。10月4日、米通商代表部のキャサリン・タイ代表が「米中貿易関係の新戦略」に触れ、翌5日にはシンクタンクでの講演でこう語っている。

「米中の経済切り離し（デカップリング）は非現実的だ。より建設的なリカップリングが必要だ」

8日、タイ氏は劉鶴副首相とリモートで話し、両者は、米中貿易はより強化されるべきだと合意した。年内に米中首脳会談がリモートで行われることも発表された。

米中の動きを時系列で辿れば、バイデン政権が徐々に後退しているのは明らかだ。中国の無法やジェノサイドは許さない、という米国の気概が失われつつあるのか。但し、ホワイトハウス（行政府）の動きがそのまま米国の対中政策になるのではない。米国の立法府は民主共和両党が中国に対しては強硬である。米国行政府と立法府双方の展開を注視し、日本の国益をはかる必要がある。日本よ、岸田首相よ、しっかりするときだ。

（2021年10月21日号）

日本を滅ぼす「立共合作」

日本共産党の志位和夫委員長は２０２１年10月25日、ＢＳフジの「プライムニュース」で、中国との向き合い方について、日本は軍事力を増強するのではなく話し合いで対処すべきだと主張した。防衛費は今より1兆円、削減すべきだとも語った。

共産党の的外れは甚しい。共産党は現実を見ているだろうか。中国が南シナ海でフィリピンの島を奪ったとき、フィリピンは国際仲裁裁判所に訴え出た。国際仲裁裁判所の判決は全面的にフィリピンの主張を認め、南シナ海やフィリピンの島々を自国領だとする中国の主張には国際法の根拠も歴史的事実としての根拠もないと断じた。

同判決を、しかし、中国は「紙クズ」と罵り、今日に至るまで南シナ海での蛮行を続けている。このような中国と話し合いで問題を解決するという志位氏の主張にどれほどの意味があるのか、志位氏は説明できるのか。おまけに日本共産党は綱領で日米安全保障条約の廃棄と事実上の自衛隊の解消を謳っている。

日本国を危うくするこんな共産党と立憲民主党が共闘して、衆院選を有利に展開しているそうだ。志位氏や共産党、立憲民主党に騙される人々がいるのだろうか。

２０２１年10月23日、中国国防部は、中露の海軍艦艇10隻が17日から23日まで１週間かけて海上合同パトロールを実施したと公表した。わが国の防衛省統合幕僚監部も同日、中露両軍10隻の動きを写真と共に公表した。それを見ると、合同部隊はわが国をぐるりと周回しつつ、対潜水艦ミサイルの発射訓練や艦載ヘリの発着艦訓練などを行っている。紛うことなき軍事的示威行動だ。中露両軍は18日に津軽海峡を通過した。19日には東北沖で対潜水艦ミサイルの発射訓練を実施した。20日には千葉県犬吠埼沖で日本領土に１３０キロまで接近した。21日、伊豆諸島沖で艦載ヘリが発着艦を行った。22日には高知県沖を通過した。大隅海峡を通って東シナ海に入った際も長崎県男女群島沖で中国軍のミサイル駆逐艦が艦載ヘリコプターの発着艦を行った。

中国人民解放軍（ＰＬＡ）海軍からは駆逐艦「南昌」など５隻が、ロシアの太平洋艦隊からは大型対潜艦「アドミラル・トリブツ」など５隻が、また両軍から艦載ヘリ６機などが参加した。彼らは日本周回に入る前の14～17日まで、ウラジオストク沖の日本海で合同軍事演習を実施した。また中国軍と分かれた後、ロシア軍は対馬海峡から日本海に入り北上を続けている。

米国に対抗し、日本に警告するために彼らは殊更、軍事力を誇示しているのだ。中露が最初に大規模軍事訓練を行ったのは16年前の８月だった。ウラジオストク沖の日本海における戦後初の中露両軍による１万人規模の演習だった。これは中国がロシアにもちかけて実現した演習だったが、その中で最も注目されたのが３日間続いた山東半島での訓練だった。空爆を加えながら沿岸部から内陸部へと兵力を投降下させていった動きは、明らかに山東半島を台湾に見立てた上陸訓練だった。

日本を狙う精密誘導兵器

次に世界の耳目を集めた合同軍事演習は18年9月の「ボストーク２０１８」だった。兵力30万、軍車輌３万６０００台、航空機１０００機、軍艦80隻の大規模演習には中国軍の他に、モンゴル軍も参加した。中国軍がロシアの国土に入り、そこで軍事演習をしたこと自体、重要な変化ととらえられた。

また米国の軍事専門家、トマス・シュガート氏が明らかにしたように、中国内陸部には、日本の嘉手納、横須賀、三沢の３基地を模したターゲットが造られており、人民解放軍はそこに向けてミサイルの実射試験を行っている。そこには横須賀に停泊中の艦艇、三沢や嘉手納のハンガーや駐機場まで再現されており、ピンポイントで弾道ミサイルが撃ち込まれた跡がある。中国が日本を狙って、精密誘導兵器で個々の艦や航空機まで殲滅する訓練をしているのが幾枚もの衛星写真から見てとれるのである。

中国及び人民解放軍の研究で知られる米戦略予算評価センター上席研究員のトシ・ヨシハラ氏は、中国は大海軍国家への道を非常に賢く歩んできたと指摘する。即ち、国際社会に疑われないように注意深く力をつけてきたというのだ。

中国が海軍力に目を向けたのは鄧小平の時代だ。鄧小平は中国海軍の父と言われる劉華清を重用し、息の長い戦略を継続してきた。今や世界第二の軍事大国にのし上がった中国は、海上権力についての輝ける理論家、アルフレッド・セイヤー・マハンから大いに学んだ。

海上権力が帝国を支える最大の力であることを理論化したマハンは、ある国がシーパワーとなるにはまず二つの重要な要素、国民性と政府の性質が必要だと説いた。加えてその国の地理的位置、海岸線の形態、領土の範囲、そして人口の規模の重要性も説いている。劉華清はマハンの教えを熱心に学び、その理論を修得し、艦船や潜水艦、戦闘機などを大量に造りつつ、中国の国民を「海軍の冒険支持へと誘導するように、公然、猛然と努力してきた」と、ヨシハラ氏は書いている。

第二の毛沢東

少し前の06年12月のことだが、第10回海軍党代表大会で胡錦濤主席は「我が軍の歴史的使命を新世紀へと引き継ぐための要求に応えられる強力な人民解放軍を構築」し、「中国的特徴を持つ軍事問題の革命的要求に沿って、海軍構築の全面的変革をもたらす」と宣言している。同路線は習近平主席に明確に引き継がれ、更に強化された。国民に中国の在るべき姿は海洋大国なのだと教育すると共に、中国は世界を主導すべき偉大なる国家だと教えこんでいる。

習近平国家主席の下で、江沢民主席以来の国民に対する徹底した愛国・愛党主義教育が進行中なのは明らかだが、習氏は愛国教育だけでなく、マッチョな滅私奉公の価値観を国民に植えつけようとしている。たとえば、米国や日本で見られる若手アイドルをもてはやす「軟弱な」文化を忌み嫌い排除させている。中国共産党を唯一絶対の存在として尊敬し、従うよう14億の国民に価値観の統一を求めている。行きすぎた愛国・愛党教育は最悪の場合、国民を対外強硬策に走らせる要因となりかねない。

ヨシハラ氏は人民解放軍の軍事戦略、とりわけ海洋戦略は毛沢東の積極防御ドクトリンから生まれたと指摘する。毛沢東は膨大な量の軍事著作を残したが、それらは全て攻撃的内容だ。敵に対して劣勢な場合に仕方なくとった受動防衛戦術も「見せかけだけの防衛」で、それは反撃して攻撃に回るための防衛だと、ヨシハラ氏は分析する。

現代中国の海軍戦略家は毛沢東とマハンの論理を取り込んで、第1列島線の西側の水域の支配権を米軍から奪い去るのを当然視する。第二の毛沢東になろうとしている習近平氏の下で、中国はより攻撃的になると見るべきだ。そんな国際情勢の下で、日本がいますべきことは最大限の国防努力なのである。自衛隊の解体を主張し、その前に日米安保を廃棄し、米軍を日本から排除することを綱領に定めている無責任な共産党に政治を任せられるはずがない。そのような共産党と組んだ立憲民主党も到底、信頼できない。共産・立民に票を投じることは日本を危うくすることに他ならない。

（２０２１年11月４日）

【追記】

私は日本共産党に何の期待も抱いていない。従って自著で共産党に党員の直接投票による党首公選制の実現を訴えた現役党員の松竹伸幸氏を除名処分にしたことも、まさに、こういう党なのかと思っただけである。

言論の自由も表現の自由も認めない松竹氏処分は２０２３年2月6日に行われた。それからひと月余りがすぎた3月16日、別の党員が全党員による党首選の実施を自著で主張した件でまたもや除名された。

日本共産党の姿は異論を徹底的に排除するロシアのプーチン氏や中国の習近平氏の独善的姿に重なる。にもかかわらず、23年4月9日の統一地方選挙では、当選した2260人の道府県議会議員の内、565人が無投票で再選され、その内6人は共産党だったという。道府県議員の約4分の1が無投票だったとは、日本の政治がいかにたるんでいるかということであろう。さらに6人もの共産党議員が無投票で議席を得た。自民党はなぜ、ここに候補者を立てなかったのか。自民候補者を立てることもなく、易々と共産党に議席を与えてしまった。政治の無気力を痛感する。

中国「核弾頭1000発」暴走の行く末

中国の習近平国家主席の毛沢東化、終身皇帝への道がまた一歩、前進した。2021年11月8日から開催された重要会議、第19期中央委員会第6回総会（6中総会）の最終日に当たる11日には習氏の「第3の歴史決議」が採択される。

毛沢東の「若干の歴史問題に関する決議」（1945年4月）、鄧小平の「建国以来の党の若干の歴史問題に関する決議」（81年6月）に続くものだ。毛も鄧も決議によって自らの政治路線の正しさを明確化させ、権威を高め、権力基盤を盤石にした。「第3の歴史決議」で、習氏はまず毛、鄧両氏と並び、さらに彼らを凌ぐ絶対的高みに上る道を切り拓くと予想される。

これまで習氏は「頂層設計」と呼ばれる手法で党の権力を掌握してきた。頂層設計とはトップレベルによるデザイン、つまりトップダウン方式である。この手法で習氏は党と国家の大規模機構改革に手をつけた。時期は18年春の全国人民代表大会で国家主席の任期を10年に制限する規則を撤廃した時だ。

一言で言えば、政府機関を共産党の組織の中に事実上取り込んだのだ。それまで同じ役割を果たす党組織と国家組織が並立していたのを、二重権力構造を廃止してよりはっきりと党を政府の上位に置いたのである。政府組織は名目だけの存在に弱められた。比較すべきものもない強力な党の最上位に立つ習氏に全ての権限が集中する形が機構改革によってさらに担保されたのだ。

だが、絶対的権力の確立及び維持は生易しいものではない。14億人を納得させるには、毛沢東も実現できなかった台湾併合の偉業達成が必要だ。そのために習氏は89年以来の大軍拡をさらに強化する。強大な軍事力を築き、その軍事力の行使を台湾併合では否定しない。また、台湾攻略法として、経済的圧力、サイバー攻撃、メディア支配、フェイクニュース拡散、工作員送り込みなどあらゆる手を使う。

対外強硬策は中国国民のナショナリズムを刺激し求心力を高めるが、習氏は各王朝が下からの革命で倒されてきた中国の歴史を十分に知っている。自身への絶対的崇拝を徹底させようと躍起なのは、ナショナリズムが政府への不満に転化し国民蜂起につながるのを恐れているからだ。

中国教育省は8月24日、「学生の頭脳を習近平の中国の特色ある社会主義思想で武装する」よう指示した。小学生には「全党人民の道案内人は習近平主席」であると教え、敬愛の念をこめて「習おじいさん」と呼ばせる。大人は皆、共産党を唯一の指導組織として崇め、企業も「中国共産党と一心同体でなければならない」と指導される。

14億の国民を洗脳するための一連の独善的政策は外交や安全保障政策にも通底する。外国に対しては経済力と軍事力がアメと鞭になる。

実戦を想定した恫喝

中国の軍事費は日本の4倍以上となり、軍事力の差は開く一方だ。日本も台湾も存亡の危機だ。そうした中の10月1日、台湾海峡上空に中国軍機が大挙飛来した。4日までに計150機が押し寄せた。

中国の暴走などで万が一、台湾有事となれば、間違いなく日本も壊滅的被害を受ける。だが、私たちは押されてばかりではない。日本を含めて多くの国が中国の軍事的脅威に対峙し、中国を抑止するために協力の構えを作っている。たとえば中国軍機群が台湾海峡上空に飛来した日と重なるように、沖縄の南西海域で日米英加蘭とニュージーランドの6か国が初の共同訓練を展開した。

米空母の「ロナルド・レーガン」「カール・ビンソン」の2個打撃群、英国の空母「クイーン・エリザベス」打撃群、海上自衛隊のヘリコプター搭載準空母「いせ」の4艦が訓練の主体を占めた。カナダ、オランダ、ニュージーランドの艦船も含めた17隻が「自由で開かれたインド太平洋」（FOIP）の理念を掲げて訓練した。

中国は非常に不快だっただろう。明らかにこちら側の訓練に触発されたのであろう、習氏が中央軍事委員会を緊急招集し、直ちに台湾への圧力を強化せよと指示した。それが中国軍機の台湾海峡飛行の中でも最大規模の4日の56機の展開につながったと言われている。

ここで注目するべき点はその編制である。どんな種類の中国軍機が飛んだかを見ることで、作戦の意図が明らかになる。これまで台湾海峡上空に迫る中国軍機の中で多数を占めていたのが戦闘機だった。しかし10月1日から4日までの大規模飛行では戦闘機や爆撃機に加えて作戦支援機である早期警戒管制機、通信対抗機、電子偵察機、情報収集機、電子戦機、哨戒機などが目立っていた（「東亜」11月号、防衛省防衛研究所地域研究部長・門間理良氏）。

戦争になった場合、実は戦闘機や爆撃機だけの飛行は危険である。爆撃機は攻撃の的になるために、実戦ならば必ず戦闘機の護衛を必要とする。また現代の航空戦で勝利するには、通信を妨害したり戦闘機を効率よく運用するための早期警戒管制機などの作戦支援機も欠かせない。

つまり中国は実戦を想定して台湾海峡上空に軍機団を送り込んだということだ。そして実は日米をはじめこちら側も共同訓練を重ね、抑止力を高めつつある。相対する中国側は、今回の展開に見られるように、飽くまでも強気なのである。

精度を高め、数も増やす

米国防総省が11月3日、「中国の軍事・安全保障動向に関する報告書２０２１」を公表した。その中で２０３０年までに中国は少なくとも１０００発の核弾頭保有を目指していると報告された。現在、各国保有の核弾頭はロシアが６２５５発、米国が５５５０発、中国は３５０発とされている。そうした中でこの１０００発という数が何を意味するのかを知っておかねばならない。

国家基本問題研究所企画委員の太田文雄氏が語る。

「中国はこれまでのカウンターバリュー（対価値）の戦略をカウンターフォース（対軍事力）のそれに変えたと思います」

カウンターバリューとは、ある国の大都市、たとえば米国ならニューヨークやワシントン、シカゴなど、非常に重要な都市を核攻撃することで、政治的にそれ以上の戦争続行を許さない状況を作り出す戦略だ。他方、カウンターフォースは、たとえば米国の大陸間弾道ミサイル（ＩＣＢＭ）の収納サイロを攻撃する戦略だ。ミサイルの精度を高めることで正確に軍事施設を破壊できるため、一般国民の犠牲を減らし、国際社会の非難も和らげることができるという考え方である。

中国は２０２０年６月に航法衛星北斗で全地球をカバーできるようにし、必要な情報収集が可能になった。その結果、ミサイル攻撃の精度が上がった。全米には多数のＩＣＢＭが多数のサイロに収納されている。それらを封じ込めるためにはより多くの核兵器が必要となる。それが中国の目指す１０００発だと、太田氏は指摘する。

中国が核戦力において米国と並び、かつてない程の脅威となれば日米、欧州諸国は大いに苦しむことになる。米国は中国だけでなく、ロシアにも同時に対峙しなければならない事態となる。その場合私たちの状況は想像を超える厳しいものとなる。

そんな状況に追い込まれないように、最大限の知恵を働かせて流れを逆転しなければならない。その第一歩は、何としてでも日本国の軍事力を強化することだ。次に沖縄、台湾を守るために、日米協力を飛躍的に強化することだ。第１列島線に中距離ミサイルを配備する。非核３原則は速やかに２原則にし、第１列島線配備のミサイルへの米国の核搭載の戦略的意味合いを議論せよ。

（２０２１年11月18日）

【追記】

２０２１年11月11日、中国共産党第６回総会（６中総会）の最終日に第３の歴史決議が発表された。習近平国家主席の説明では決議の起草案は21年３月に政治局で決定され、起草組が立ち上げられた。そのトップに就いたのは習氏自身であり、補佐したのが王滬寧、趙楽際両政治局常務委員員だったそうだ。

内容は歴史の書き換えと断じてよいもので、習氏自身、決議案は547か所も修正されたと認めている。つまり党内では多くの異論が出たということだ。それでもこれは中国共産党史に確固とした形で残る。

歴史決議は中国共産党100年の歴史を四つに分けた。①党創設から中華人民共和国の建国まで、②建国以降の社会主義の建設、③鄧小平による改革・開放から江沢民、胡錦濤政権の終わりまで、④習近平氏の総書記就任以降、である。

習氏自身、中国は毛沢東によって立ち上がり、鄧小平によって豊かになり、習氏自身によって強くなったという100年の中国の歴史を認めているにも拘わらず、歴史決議では毛沢東と自身の功績を評価する一方、鄧小平を過小評価した。毛沢東死後に中国を率いた華国鋒、比較的民主的な考えをもつとされた胡耀邦、趙紫陽らは全く無視された。習氏の前の国家主席だった胡錦濤、江沢民についてはわずかに一段落ずつしか記述されなかった。鄧小平が唱えた改革開放政策こそが中国の経済発展を促す力となったにも拘わらず、改革開放政策への評価は全くなされなかった。その上で、習政権の功績を讃える部分が歴史決議の半分以上を占めた。

歴史文書には、習氏以前の指導者達への批判が書かれていた。「(習氏の下で) 長い間解決しようと思っても解決されないできた多くの問題が解決され、以前実現しようと考えたが実現されなかった多くの大事を成し遂げた」と書いている。習氏は大いなる自信を持って、世界に習時代が到来したことを宣言したのである。

第二章　「終身皇帝」の焦り

核先制不使用は逆に中国からの攻撃を招く

２０２１年11月11日、習近平氏は中国共産党史上、第３の歴史決議を発表し、自らを毛沢東にも優る偉大な指導者と位置づけた。４日後、自信満々の習氏はバイデン米大統領とオンライン首脳会談を行った。ホワイトハウスは、その翌日、両首脳が核の軍備管理に関する交渉開始の可能性を探ることに同意したと発表した。

安全保障問題担当大統領補佐官のジェイク・サリバン氏も「両首脳は戦略的安定性に向けて前向きの議論を開始することで合意した」「ここから如何に生産的な方法で進めていくかを考えるのが我々の責務だ」と、ブルッキングス研究所で語っている。

万が一核の軍備管理交渉が実現すれば、15日の首脳会談の唯一の成果となる可能性もあると、米紙「ウォール・ストリート・ジャーナル」（ＷＳＪ）が報じたが、米中間で核軍縮が進むとは到底、思えない。

オバマ元大統領もトランプ前大統領も核の管理について中国と話し合おうと提案した。しかし中国は耳も貸さずに拒絶し続けた。対中姿勢で弱気がのぞくバイデン氏が中国を核軍縮や核管理の場に引き込めるものか。

ではなぜ、先述の情報が公にされたのか。経緯を知れば、この話はバイデン氏の希望的観測が空回りしているだけという厳しい現実が見えてくる。オンラインの首脳会談でバイデン氏が同件を持ち出し、習氏がそれならば高官を手当しようと応じたというのだが、そこから先の進展はない。会談後の会見でも中国側は一切この件に触れていない。

参議院議員で、現在自民党外交部会長を務める佐藤正久氏が語った。

「中国は核軍縮に応じる気など全くないでしょう。米ソ（米露）が核軍縮交渉をしたのは、両国がほぼ同じ数の核兵器を持ち、パリティ（均衡）が生まれたからです。中国はそこまで行っていません。核削減とは反対に、2030年までに現在の350発から1000発まで増やしたいと、国運を賭けているのですから」

元防衛大臣の小野寺五典氏も次のように語った。

「現在、核の軍備管理で話し合いの場を持っているのは米露両国だけです。中国は決して加わりません。それだけに本当に中国が参加するのなら、非常によいことだと思います。しかし、彼らが核の管理や制限を話し合う場に入ってくるのか、疑問です。たとえ交渉に応じるとしても中国は交渉や協議の形で時間稼ぎをしますから、要注意です」

ワシントンを攻撃可能

防衛研究所政策研究部防衛政策研究室長の高橋杉雄氏は両首脳の思惑はかけ離れていて、意思疎通はうまくいっていないと見る。

「中国側の態度を見ると米国の目的を理解する気はないと思わざるを得ません。習氏は単に聞き置いたのでしょう。バイデン氏はオバマ元大統領と同じく核のない世界を目指すとしていますが、現在、米国が直面している事態は、そんな余裕など持ちようもないほど、本当に切迫したものなのです」

今年7月、中国が内陸部に核ミサイルを格納するサイロを300も建設していることが米国の偵察衛星で明らかになった。約800平方キロメートルの広大なサイロフィールドが2か所あることも判明した。中国が建設中のサイロの数はすでにロシアのそれを上回っているという。米国でさえサイロは500しかない。中国の300という数は大きな驚きだった。高橋氏が語る。

「中国はいまそこに新型ミサイルのDF41（東風41）を入れようとしています。DF41は10発の核弾頭を搭載できます。しかもワシントンに届く射程です」

ワシントンを攻撃可能な、10発の核弾頭搭載ミサイルは米国にとって大きな危機である。中国の核兵器大増強は軍事的にどんな動きを引き起こす危険があるのだろうか。まず、前述の機能を備えたDF41ミサイルを中国が配置するのは、奥地とは言え、場所が固定されたサイロである。北朝鮮のように、列車や車輛から発射する場合、位置の特定が難しいため、先制攻撃は困難だ。しかし固定式なら、先制攻撃は可能だ。従ってもし、中国がDF41の発射準備にとりかかったら、その動きを察知した米国側は先制攻撃するだろう。DF41に搭載されている10発の核弾頭もろとも撃破できる。そのような場合、中国側も同様に先制攻撃を考えるかもしれない。

高橋氏が指摘した。

「このようにかえって非常に危険な状況が発生しかねないために、米露は固定式のサイロには複数の核弾頭は入れないという合意をしています。しかし、中国はその合意に入ろうともしません。また、中国は一応、核の先制不使用を建前としていますが、そこにはさまざまな条件をつけており、条件次第で先制攻撃は可能なのです。そして、その条件は中国が独自に判断するわけです」

凄まじい速度と規模で核戦力を構築

もうひとつ注目すべきことがある。「警報即発射」という考えだ。launch on warning でＬＯＷと呼ばれる。敵国が核攻撃を決断したと察知した時点で、敵の核ミサイル発射を制するために核攻撃をするという考えだ。中国は宇宙空間のセンサーなどで核発射の兆候をとらえる能力を確立している。加えて、人民解放軍がＬＯＷの訓練をこの数年繰り返していることも判明している。つまり、中国は核の先制不使用の考え方を放棄したと見るべきなのだ。実質的に核の先制攻撃態勢を築き上げたということだ。

中国の核戦力構築の凄まじい速度と規模にどう対処するのか。これまで一度も交渉に応じてこなかった中国と交渉で解決しようと考えるのは意味をなさないだろう。力を信じてその構築を壮大な計画で進める中国に対しては、米国も力を強化しなければならないというのが合理的結論であろう。

米国の核によって守られている日本は、この厳しい状況下で、どのようにして国民を守り、国土を守るのか。まず、出来得る限りの自助努力をするのは当たり前だ。日本の国防力を強化することが全ての基本である。日本自身が国防の努力をしなければ、同盟相手の米国は決して助けてはくれない。

次に、バイデン大統領が「核の先制攻撃はしない」などと、決して言わないよう説得することだ。２０２２年早々に米政府は「核態勢の見直し」（ＮＰＲ）を公表する。米国の民主党政権は核の先制不使用宣言を検討しているとみられるが、それで喜ぶのは中国、ロシア、北朝鮮だけだ。米国防総省は、中国が国際条約に違反して化学・生物兵器の開発を進めている可能性も指摘している。中国への警戒は、如何なることがあっても緩めてはならない。

そして私たちは、米国をはじめ自由や民主主義を大切にする側が、非常に厳しい局面に立たされていることを知っておかなければならない。米国はこれから中露両国との２正面作戦に耐えなければならない。だからこそ、日本は、米国に助けられるばかりでなく、米国と共に互いを守り合っていかなければならない。岸田文雄首相の責任は重い。

（２０２１年12月２日号）

【追記】

米国防総省が２０２１年11月３日に発表した中国の軍事力に関する年次報告書は、中国のミサイル戦力が凄まじい勢いで増強されていることを、多くの事実を示しながら生々しく描いた。

中国がミサイルを格納するサイロを増やしていることは本文で指摘したとおりだ。そのミサイルを撃ち出す発射装置（ランチャー）も凄まじい勢いで増産されているとハドソン研究所研究員の村野将氏が指摘している。たとえば中距離弾道ミサイル（ＩＲＢＭ）のＤＦ26を発射するランチャーは２０１８年から19年までの１年間で80両から２００両へと２・５倍に増え、日本を射程に収める。準中距離弾道ミサイルのランチャーは19年から20年の1年間に100両分増産されて250両になったという。ミサイル本体は2019年に150基以上とされていたが、20年には600基に増えていた。しかも増加分の多くが極超音速滑空ミサイルのDF17だと見られているというのだ。村野氏は20年代後半まで同様の現象が続けば、台湾有事などで南西諸島を含む西日本の自衛隊や米軍基地は、開戦と同時に一気に無力化されかねないと警告する(「東亜」2022年1月号)。

このような状況について、強い危機感を持っていたのが安倍晋三元総理だった。安倍氏は21年12月1日、台湾のシンクタンク「国策研究院」が主催するシンポジウムで講演し、こう述べた。

「台湾への武力侵攻は地理的、空間的に必ず、日本の国土に重要な危険を引き起こさずにはいない。台湾有事は日本有事だ。すなわち日米同盟の有事でもある。この認識を習近平国家主席は断じて見誤るべきではない」

右の発言以降、台湾有事は日本有事と誰もが言い始めた。しかし、最初に事の本質にパッと斬り込んだのが安倍氏だった。

安倍氏発言に中国は怒り、台湾人は安心した。台湾は中国の軍事圧力の前にひとりで立ち続けているかのように見える。それが事実であれば、中国は当然、そこに付け込む。そうさせないために、蔡英文氏は21年10月27日にCNNの取材に応えて、米軍が台湾に駐留している事実を、初めて認めた。米国側の了承を得て公表したのだ。中国に、軍事的介入は難しいぞと、きちんと知らしめることになった。日米両国の支えを台湾は最も必要としている。

民主主義サミットで迷走する米国、ほくそえむ中国

バイデン大統領、大迷走だ。

2021年12月9、10日にバイデン氏が主催する「民主主義サミット」への招待国リストを見ての第一印象である。

民主主義サミット開催は2020年の大統領選挙で氏が公約した。目的は、民主主義国を権威主義から守る、汚職を撲滅する、人権を尊重する、以上3点の促進である。

米国務省は国連に加盟する193か国から110の国と地域を招き、約80か国を排除したが、選別の基準は不明確に思えた。

たとえば東南アジア諸国連合（ASEAN）である。10か国の内、招かれたのはフィリピン、インドネシア、マレーシアのみでタイもシンガポールもベトナムも外された。

タイは歴とした米国の同盟国だが軍主導の政治が嫌われたのか。シンガポールは米国の同盟国ではないが米軍艦も寄港する力のある友好国だ。後述するように米国はシンガポールの重要性に

注目してきた。今回外されたのは、同国の事実上一党支配の政治体制が民主主義に合致しないと見做されたからだろうか。

ベトナムの排除も本当に理解し難い。熾烈なベトナム戦争の傷をこえて、宿敵同士だった両国は関係を修復した。そしてベトナムは未来展望の軸を米国との関係強化に置いた。南シナ海における中国の脅威に抗して、彼らは米国と事実上共闘する仲だ。ベトナムはまた環太平洋経済連携協定（TPP）の重要な加盟国であり、経済と価値観においても米国と軌を一にしたいとの姿勢を見せてきた。そこから一方的に脱落したのが今回の米国だ。米国との戦略的協調関係を強化してきたベトナムの除外こそ、繰り返すが、本当に理解し難い。

ベトナムやシンガポールを含むASEANに対し、米国を筆頭とする西側諸国と中国が、力と知恵を尽くして取り込み合戦を展開中なのは今更言うまでもないだろう。

11月22日には習近平国家主席がASEAN中国特別首脳会議をオンラインで開催し、「包括的戦略パートナーシップの構築」を謳い上げた。

同じ日、先進7か国首脳会議（G7）の議長国である英国が、12月11日からリバプールで開くG7外相会議にASEAN外相を招くと発表した。

米国は10月26日にバイデン大統領自身がASEAN諸国との首脳会議にオンラインで出席し、1億2000万ドル（約110億円）の支援を表明した。それに先立つ7月23日、オースティン国防長官はシンガポール、ベトナム等への歴訪に出発した。氏は歴訪で「米国は引き続き信頼できる友好国であり、必要とされるときに姿をあらわす友人だ」とASEAN諸国に伝えたいと語った。

8月22日からは副大統領のカマラ・ハリス氏がシンガポールとベトナムを訪れ、インド・太平洋における米国の「パートナー」としての関係強化を訴えた。

にも拘わらず、これらの国々は民主主義サミットに招かれなかった。米国外交に一貫性はあるのかと、ASEAN諸国が疑うのは当然だ。アメリカから事実上「貴国は十分な民主主義国ではないから輪の中に入れない」と言われた側の不満と不信は深いはずだ。このような選抜によってバイデン政権の掲げた三つの目標達成への道筋が開けるとは思えない。世界を恣意的に二分する戦略、戦術の拙劣さだけが目につく。そこを見透して中国が甘い声で接近するのは想定の範囲内であろう。

中国に搦めとられたカンボジア

中国の甘言に嵌まった国にカンボジアがある。ASEANによるさまざまな対中決議は悉くカンボジアの反対で潰されてきた。いまその国で米中勢力の大逆転劇がひとつの結末を迎えようとしている。今年6月ティア・バニュ国防相は中国の支援で軍事基地建設が進んでいることを正式に認めた。かねてよりカンボジアの対中傾斜は警告されてきたところだ。同国の外交、安全保障政策は中国の思いどおりに変わり、穏やかなASEAN諸国からさえ、カンボジアを含めての全会一致で決定する仕組みを変えるべし、カンボジアが中国に搦めとられ、およそ全てのことについてASEANの中国批判に反対するため、ASEANはまとまりきれず、力を発揮することもできないという強い意見まで出ていた。

米国は6月にシャーマン国務副長官を派遣して、カンボジアの中国傾斜に歯止めをかけようとしたが、成果は得られなかった。そして遂に、米国が同国南西部のリアム海軍基地に建てた司令部が解体されたのである。米国の影響下にある勢力圏が中国に奪われ続けるこの状況にどう対処できるのか。答えは簡単ではないが、民主主義サミットから除外するような外交は逆効果だということだ。

南アジアではインド、パキスタン、ネパール、モルジブが招かれ、バングラデシュとスリランカが外された。

「タイムズ・オブ・インディア」はネパールとパキスタンは中国に隣接するから選ばれ、バングラデシュは米国が肩入れしてきた野党が過去2回の選挙で振るわなかったから外されたとの推測記事を載せた。行間から読みとれるのは、米国の選別基準は結局、米国の好悪でしかないという否定的な受けとめ方だ。

「米国抜き」の秩序形成が

中東からは米国の盟友、イスラエルに加えてイラクだけが招かれた。大国サウジアラビア、動向が注目されるNATO加盟国のトルコ、アラブ首長国連邦（UAE）も、アフガニスタンからの米軍撤退で随分と米国に協力したカタールも外された。

それでなくとも中東では「米国抜き」の秩序形成の動きが生まれている。トルコはカタールと共に中東各国のイスラム組織「ムスリム同胞団」などを助けてきた。そのせいで、過激派への支援だとしてサウジアラビアやUAEなどの反発を招いている。

だが、いまトルコはイスラム過激派への支援を控えるとの見通しを示し始めた。UAEが経済的苦境にあるトルコ支援に入り、100億ドル（約1兆1000億円）規模の、対トルコ投資拡大を目的としたファンド設立に動いたことが直接のきっかけだと見られている。複雑な中東情勢の展開は見通せないが、米国抜きの秩序確立を米国自身が促すかのような動きは、ロシアや中国のより深い介入を招く結果となる。中東における米国の国益は損なわれ続けるに違いない。

一方で、台湾が招かれ、米国の台湾擁護政策がまたひとつ印象づけられたことは、多くの国に安心感を与えたはずだ。台湾からの参加者はデジタル担当政務委員のオードリー・タン氏と駐米代表の蕭美琴（しょうびきん）氏だ。武漢由来のウイルス問題を話し合うには最適だが、政治的には比較的慎ましい人選だ。中国の不必要な反発を招きたくないということであろうか。

民主主義サミットに110か国はオンラインで参加する。1年後に本格的な会合を開催するとバイデン氏は言う。だが1年後のその頃、米国全体が中間選挙で手一杯であろう。

とりわけ民主党はこのままいけば上下両院で敗北しかねない。言葉上は強い印象を与える民主主義サミットだが、具体的果実は期待できないのではないか。結局、今回の米国の決定は、バイデン大統領の思考はその目的が曖昧で世界のパワーバランスを米国優位に安定させる戦略性に欠けている、という厳しい現実を暴露しただけではないだろうか。

（2021年12月9日号）

【追記】

米国主催の民主主義サミットへの中国の反応は、彼らが国際社会の秩序や価値観を上書きしようとしていることを示している。

2021年12月4日に国務院が白書「中国の民主」を、5日に外交部が「米国の民主状況」を発表した。白書「中国の民主」は中国に「全過程の人民民主」があると書いている。少し分かりにくいが、白書の発表の場で行われた質疑応答から彼らの言わんとするところが見えてくる。

中国側は米国の民主主義についてこんな批判を展開したのだ。

「投票時だけ目覚めてその後は休眠状態に陥り、選挙運動中はスローガンに耳を傾けるだけでその後は何も言えない。投票のときだけ優遇されて投票が終われば放置されるような民主は本当の民主ではない。中国人民はそんな民主は好まない。必要でもない」

実は私はここで思わず笑ってしまった。民主主義の在り方について、一般論として、実態を言い当てていると思える節があったからだ。また、23年4月にわが国で行われた統一地方選挙では、道府県議会選挙で約4分の1が無投票で選ばれた。政治の停滞である。6人もの共産党議員が無投票で選ばれたことにはとりわけ驚いた。共産党の候補者しかいない選挙区をなぜ、自民党や国民民主、はては日本維新など、共産主義イデオロギーとは真っ正面から対立する政党は放置したのだろうか。対立候補をなぜ立てなかったのだろうか。それだけ、日本人は政治、とりわけ地方自治体の政治に無関心なのだと、憤ったその感情は今も生々しい。

中国が批判しているように投票が終われば放置される民主主義は確かにおかしい。それ以前に政治に無関心の民主主義もおかしい。

しかし、中国に言われるスジ合いは全くない。

中国は、ある国が民主であるか否かは、その国の人民が評価し判断すると主張する。そして中国の民主主義は全過程民主主義だという。全過程民主主義は米国の民主主義よりも優れていると主張するために、中国外交部は「米国の民主状況」を発表して酷評し、中国の民主状況と較べてみせたのだ。

しかし、中国では習近平氏の唱える「中国の特色ある社会主義」や習氏の偉大な功績を100%信じ、礼賛することが、候補者にしてもらえる基本である。こんなもの、民主の名に値しない。それでも中国は自分たちの主張は正しいと言い張る。中国には中国の民主があると言う。各国全てに各国それぞれの民主があると言うのだ。民主主義自体の否定は避けて、さまざまな国々にさまざまな民主主義があるとの論法で、必ずしも米国の民主主義に賛同しない第三世界（グローバルサウス）の国々を味方につけていく魂胆である。

中国が民主主義の国であるとか、習氏は民主主義によって支えられている指導者だなどという主張は片腹痛い。けれども中国はいま、このような言いくるめ戦略を国を挙げて実践中だ。中国の考え方や理屈、その思想や価値観を言葉で説いて相手を納得させ、世界の秩序を変えていこうとしているのである。

この方針は「制度性話語権」という言葉で表されている。中国当局によって、"Institutional Discourse Power"と英訳された。慶応義塾大学教授の加茂具樹氏はこれを「制度に埋め込まれたディスコースパワー」と訳している。もうひとつ踏み込めば「制度化された言語による思想伝達の力」ということであろう。

制度性話語権は、中国が自らの考え方、理念思想を説き、世界を同調させていく力を大いに発揮するための新たな大戦略なのだ。中国は戦後の国際社会体制を変える決意を固めているのである。パクスアメリカーナからパクスシニカへの転換を図ろうとしているのである。

中国が慄いた「台湾有事は日米同盟有事」の安倍発言

「昨日（12月2日）、たまたま一緒に食事をしました。菅さん、萩生田さん、加藤勝信さんと。大変元気な姿を見て嬉しくなりました」

２０２１年12月3日の「言論テレビ」で安倍晋三元首相は菅義偉前首相についてこう語った。永田町界隈に安倍・菅両氏の間に隙間風が吹いているとの言説がある中での発言だ。その点を尋ねると、安倍氏は即、反応した。

「私と菅さんとの人間同士、政治家としての絆は他の人にはわからないでしょう。相当強い絆で結ばれていると私は思っていますから、隙間風の吹く隙間もないと思います」

自身が病気で急に退任したとき菅氏が後を引き受けてくれたことへの感謝を、言葉を尽くして語った。

「菅さんは本当に立派な仕事をされた。不可能と思われたワクチン接種1日１００万回も、多いときは１７０万回くらいまで行き、アメリカを追い越した。私に対しては寝食を忘れて官房長官職に打ち込んでくれました」

　安倍・菅関係危うしという情報を、相当気にしていることが伝わってきた。そんなことは決してない、菅氏への同志としての想いは少しも変わっていないというメッセージを送るのが、今回の対談の重要な意味のひとつだったのだと感じた。だからこそ安倍氏の言葉を、是非、菅氏に届けたいと私は思っている。

　安倍氏は約10年振りに派閥に戻った。党内最大派閥の長としての氏の発言には確実に世界の政治を動かす力がある。たとえば台湾問題だ。習近平国家主席の下での台湾侵攻の可能性について、世界中であらゆる分析がなされている。そうした中、安倍氏は12月1日、台湾の国策研究院主催のシンポジウムで「台湾有事は日本有事であり、日米同盟の有事である」「この点の認識を習近平国家主席は、断じて見誤るべきではない」と語った。

30年間で軍事費を42倍に

　中国側の反応は驚く程激しかった。外務次官補、華春瑩氏が1日の夜中という異常な時間帯に垂秀夫駐中国大使を呼び出して「極めて誤った言論で中国の内政に乱暴に介入した」と、「厳正な申し入れ」をしたのである。

　中国外務省の汪文斌報道官も非常識だった。「中国人民の譲れない一線に挑む者は誰であれ、必ず頭をぶつけ血を流す」とコメントしたのだ。国務院の馬暁光報道官に至っては「安倍晋三は黒を白と言いくるめる」と、事実上大嘘つきだと非難した。罵詈雑言は彼らの恐れの反映である。台湾問題への国際社会の支援を、彼らは何としてでも回避したいのだ。それにしても失礼極まる言い方ではないか。そう言うと、安倍氏が笑ってサラッと答えた。

「私は総理を退任し、一国会議員です。その私の発言にこのように注目していただいたことは大変光栄です。私はこれまでに様々な批判を受けてきましたから、批判への免疫力は強い。これからも言うべきことは言わなければと思っています」

注目すべきは中国共産党の機関メディア、環球時報の報道だ。彼らは「安倍発言について、岸田首相は事前に知らされ、黙認していたはずだ。岸田は安倍の影響を振り払うことができない上、台湾カードで米国の機嫌をとり続けなければならない」と報じた。中国側のこの推測は、岸田氏も安倍氏と同じ考えなのかと恐れる気持ちの反映だろう。岸田氏が安倍氏と同じであっては困る、そうであってほしくないという気持ちがこのような推測につながったのではないか。

岸田首相は発言内容を事前に知っており承諾していたのだろうか。安倍氏はシンポジウムの前月、官邸で岸田氏と会っており、今回の発言は首相と元首相の高度な政治的連携プレーだった可能性はゼロではない。しかし、その可能性は低いだろう。安倍氏は自身の責任において日本の為に言うべきことを言ったのだと思う。

安倍氏は「言論テレビ」でなぜ台湾問題に踏み込んだのかを説明した。

「台湾海峡の平和と安定の重要性は国際社会が共有する認識です。しかし、10月には4日間で中国の戦闘機が149機、台湾の防空識別圏に侵入しました。中国はこの30年間で軍事費を42倍に増やし、台湾に圧力をかけています。万が一、武力で現状変更を試みて台湾有事になれば、日本有事です。（与那国島などの）先島諸島は距離にして100キロメートル余り、平和安全法制上の重要影響事態になり、日米同盟に関わってきます。即ち台湾有事は日米同盟有事に発展するのです。こうしたことをはっきり相手に示すことで、偶発的な衝突を防ぐことにつながります」

　安倍氏は国際社会の懸念を代弁しているのだ。本来なら林芳正外相が発信すべきメッセージであろう。だが安倍氏が発言したことで岸田政権に直接の負担を与えることなく、日本国の立場を示す役割を担った。その言葉に台湾の人々だけでなく日本国民も安堵したはずだ。

　中国の軍事的脅威が身近に迫るいま、安倍氏は明らかに政府に代わって警鐘を鳴らしているのである。氏はかつてこう語った。

「中国の習主席と会うとき、私は必ず、二つのことを言います。ひとつは拉致問題です。もうひとつは尖閣問題です。中国が動きを起こすとき、必ず、日本は動く、と。習氏にそのことについて誤解なきように明確に伝えることが強い抑止になるのです」

　中国の軍事力について、わが国は決して楽観できないとも安倍氏は語った。中国の軍事的急拡大、とりわけ核弾頭の急増によって生じる新たな危機はかつて日本が経験したことのないものだ。

　現在米軍の力は中国軍を圧倒しているが、アメリカは全世界に展開しているため日本や台湾が位置するこの「戦域」では中国の軍事力の方が「相当優勢」だと、安倍氏は語った。日中の軍事力の比較では、水上艦艇、潜水艦、戦闘機などで中国はわが方の倍近くだとも指摘した。

　その上でこう指摘した。日台周辺の戦域で中国が優勢であるとしても、地球規模の「戦略域」で米国が圧倒的優勢を保っているから中国は手を出せないでいる。戦略域での力の優劣を決めるのは核兵器である、と。

日本を狙うミサイル

中国が猛烈に核弾頭を増やしていることは米国議会や国防総省が明らかにしている。すでに触れたことだが、2030年には中国の核弾頭は現在の350発から1000発になる。そのことがもたらす危機について、安倍氏の考えはこうだ。

「米国は550発の核弾頭を有していますが、新START条約で配備できるのは1550発に制限されています。中国が1000発の核を持って配備すれば、米中の力が均衡に近づきます。戦略域で均衡に近づき、戦域で力が上回っていたら、冒険的なことに挑む懸念があるというのが専門家の指摘です」

中国が冒険主義に走る危険性が生まれつつある。しかも脅威は核だけではなく、サイバーや電磁波、宇宙の領域にも広がる。

この現実の前で如何にして日本を守るのか。まずすべきことは中国が第1列島線に出てくるのを阻止することだ。彼らに第1列島線を押さえられてしまえば、米軍は日本周辺にも台湾周辺にも近づけない。日米は迅速に協力体制を組み、私たちの側が第1列島線を押さえるのだ。

「第1列島線を守るには、基本として中距離ミサイルの配備が必要です。そのミサイルを米国に頼るのでなく、わが国のミサイルを配備すべきです。三菱重工にはその技術があります」と安倍氏がテンポよく語った。

中国は日本を狙うミサイル2000基を配備済みである。北朝鮮もわが国を狙うのに十分な1000キロメートル超の弾道ミサイルを保有する。米国との協議でこれまでミサイルの射程を800キロメートル以下に制限していた韓国も今年5月、その制限を撤廃した。韓国のミサイルも日本を射程にとらえることになったのである。

　日本周辺は、地球上のどの地域よりもミサイルの密度が高い地域になった。自力で国を守るために、日本製のミサイルを配備するのは理に適っている。十分な力を持って初めて国民の命も国土も守れる。安倍氏の主張を、朝日新聞などが激しく批判するのは想定の範囲内だ。しかし、現実を見据えた安倍氏の主張は正しいのである。岸田首相が責任感の強い政治家なら、必ず支持するだろう。

（２０２１年12月16日号）

岸田首相の危うい「宏池会路線」

岸田文雄政権発足から日も浅い為、評価を下すのには慎重でありたい。しかし、早くも先行き不透明感が顕れてきたように思うのは、私が偏見を抱いているからではないと思う。宏池会に脈々と伝わる対中宥和姿勢、優柔不断、結果としての手遅れ感が漂ってきているからだ。

支持率も安定しているかに見える岸田政権だが、北京五輪に関して首相はどのように考えているのだろうか。北京五輪にどう対処するのか、選手団だけでなく政府関係者も参加するのか、選手は参加しても政府は不参加のいわゆる外交的ボイコットを選ぶのか。この選択は中国との向き合い方を象徴することになる。

米国はすでに外交的ボイコットを決めた。英豪加なども同様だ。他方、主要国の中で日本は態度表明をしていない。

12月13日の衆議院予算委員会で自民党の高市早苗政調会長に外交的ボイコットの可能性について訊かれ、岸田氏は「しっかり総合的に勘案して判断すべきものであると考えます」と答えた。

事実上何も言わない空気のような回答だ。林芳正外相も同様だ。

国際社会は中国共産党のウイグル人弾圧政策を「ジェノサイド」と認定し、人権侵害を改めない中国に北京五輪外交的ボイコットという圧力で臨んでいる。岸田首相もウイグル人弾圧を問題視し、人権問題を重視する考えから、これまで以下のように語ってきた。

「ウイグル、チベット、モンゴル民族、香港など、人権等を巡る諸問題について、主張すべきは主張し、責任ある行動を強く求めます」（自民党総裁としての公約）、「私の内閣では、人権を始めとした普遍的価値を守り抜く」（12月9日、衆院本会議）、「深刻な人権状況にしっかり声を上げていきます」（民主主義サミット）。

明確に発信しているのに、なぜ、現段階に至っても岸田氏は、日本国首相として、外交的ボイコットを宣言しないのか。米中が価値観の戦いにおいて対立している中で、なぜ、日本の立ち位置をはっきりさせないのか。

中国共産党の魔の手

中国共産党はウイグル人、モンゴル人、チベット人の弾圧政策を改めるどころか、逆に監視態勢の強化に乗り出している。

中国共産党の魔の手は海外にまで及ぶ。わが国で働き、或いは学んでいる前述の3民族の人々を中国共産党工作員は恒常的に監視し、恫喝しているのだ。中国にいる家族を人質に取って密告を強いている。こうした悪行を彼らはわが国で行っている。それだけではない。わが国の国民の少なくとも7人が正当な理由を示されずに中国で逮捕され、長年拘束されている。

人権問題以外にも中国共産党に抗議し、北京五輪を外交的にボイコットすべき種々の理由がわが国にはある。尖閣諸島のわが国海域には中国の武装公船4隻がほぼ常駐している。中国の艦隊は10月中旬、ロシア艦隊と共にわが国を一周し、挑戦的な軍事訓練を展開した。歴史問題では、中国共産党の機関メディアが「日本は慰安婦70万人を強制連行した」という途方もない歴史の捏造を始めている。北京五輪への対応ではこうした中国の振舞い全体を考慮するのは当然だ。米英豪加諸国と共に、日本政府は北京五輪に祝意を送らず、外交的ボイコットの先頭に立つべきだ。にも拘わらず、岸田首相、林外相共に、中国に沈黙するのである。

彼らの沈黙は米国との関係でも目立っている。先に報じたように、バイデン米大統領は12月9、10日の2日間、中国など強権国家の脅威に対処すべく世界110か国・地域を招いて「民主主義サミット」を開催した。サミットに合わせて「輸出管理・人権構想（イニシアチブ）」を立ち上げた。同構想は米、豪にデンマークとノルウェーが加わり、4か国で立ち上げ、すぐにカナダ、英国、フランス、オランダが支持を表明した。構想の目的は人権侵害を助長しかねないデジタル監視技術、たとえば監視カメラや顔認証、スマホなどから情報を抜き取るスパイウェアといった技術等を、中国企業などに輸出しないように、今後1年かけて有志国が協力して輸出管理の行動規範を作ることだ。

世界は価値観に鋭敏になっている。その感覚は単に経済問題にとどまらない。広く安全保障に関連付けられていく傾向は強くなるばかりだ。だからこそ、欧州諸国は反射的に動く。なのに岸田政権はどちらにも入っていない。岸田首相は、人権など普遍的価値を守り抜くと度々言葉で表明してきたにも拘わらず、行動が伴っていない。

なぜこんなに鈍いのだろうか。もうひとつ奇妙なことがある。中国を念頭に置いた米国発のこれらの動きが、岸田政権内で必ずしも共有されていないことだ。中谷元氏は岸田政権で国際人権問題担当首相補佐官に就任している。人権情報についてはいち早く、すべての関連情報が氏の下に集められなければならない。しかし、中谷氏は、12月7日の日本経済新聞の記事「人権侵害を阻止、多国間輸出規制 米、民主サミットで発表へ」を読んで初めて、バイデン氏が「輸出管理・人権構想」を発表したことを知ったというのだ。外務省が情報を上げていなかったことになる。

なぜ消極的なのか

明星大学教授の細川昌彦氏が指摘した。

「外務省は、中国を対象にした規制などには一貫して否定的です。中国を追い込む国際的枠組みについての情報を日本側に伝えないというようなトリックは、民主主義サミットでの輸出管理・人権構想についての事例で行われただけではありません。6月のG7首脳会議の共同声明の中の関連部分についても、外務省が要約した資料からは省かれていたのです」

そもそも外務省には、バイデン政権の民主主義サミットに対する不信感がある。どの国を招くのか外すのかの基準も定かではない。本書ですでに指摘したように、ASEAN10か国から招かれたのはフィリピン、マレーシア、インドネシアの3か国のみで、シンガポールもベトナムも排除された。ASEANを分断するかのような手法は、中東や欧州に対しても使われている。多くの国をまとめるというより分断を進めるような選別が目につく。確かにバイデン政権への信頼が揺らぎそうな事例だ。

萩生田光一経産大臣が指摘した。

「いろいろあっても、日本国の戦略の基本は米国との緊密な協力を守ることです。ですから、米国提案の枠組みにもっと前向きの姿勢で取り組むのがよいのです。今すぐ中国による人権侵害への抗議に署名できなくとも、たとえば来年早々に署名国になれる状況を作り出す姿勢が大事。それが国益だと考えます」

経産省に比べて外務省はなぜ消極的なのか。宏池会の伝統的対中姿勢、即ち政権派閥の対中姿勢を写しとっているのか。断定にはまだ早いと思いながらも、岸田政権のこれからに危惧を抱く理由である。

（2021年12月21日号）

ジェノサイドに目をつむる公明党は詐欺師か

2022年1月15日、都内で「ウイグルジェノサイドに日本がどう向き合うべきか」という集会が開催された。主催は非営利団体（NPO）の日本ウイグル協会である。会場にはウイグルの人達も含めて数百人が集った。1時間余りにわたって6人の在日ウイグル人の皆さんが自身と家族の置かれている状況を語った。どの人も親や兄弟姉妹、家族の誰かが行方不明になっている。殺害されてしまったと考えざるを得ない事例もある。情報が徹底して遮断されているために、肉親の生死の確認さえ容易ではない。習近平政権が2期目に入った2017年以降、ウイグル人だという理由だけで弾圧、殺害する政策が強化されている。

会の冒頭、自民党衆議院議員で「人権外交を超党派で考える議員連盟」共同会長の齋藤健氏が挨拶し、1月17日開会の通常国会冒頭で中国政府に対する非難決議の採択を目指すと語った。私たち日本人がウイグル人問題にどう向き合うかは、中国共産党による人権侵害の本質を私たちがどうとらえるかを反映することになる。

習主席は、人類の持つ最新技術を駆使して全人民個々人への監視網を築き上げた。街の至るところに設置されている監視カメラは中国全土で少なくとも2億台と言われている。5億台という途方もない台数が配置されているとの指摘もある。いずれにしても間違いなく世界最悪だ。だがウイグル人などに対する情報収集はカメラによる24時間の監視だけではない。調査報道ジャーナリストのジェフリー・ケイン氏が上梓した『AI監獄ウイグル』（新潮社）には、ウイグル人の家族全員が地元警察によって「健康検査」を強要され、採血からDNAサンプルまでありとあらゆる検査を実施され、考えられる限りの個人データをとられる様子が描かれている。個人データは全て中国政府に管理され、行動監視、反政府活動取り締まり、臓器調達などに活用される。

臓器調達とは、本人の意向を無視して、その人から臓器を取り出すということだ。取り出された人にはほとんどの場合、死が待っているということだ。こんな所業ができるのは、もはや人間ではない。悪魔である。それを中国共産党はウイグルなどの人々に行っているのである。人々を徹底的に監視し、コントロールし、中国共産党及び習氏による独裁体制の安定を図る。徹底した一党独裁、専制政治体制を、国内のみならず世界規模で実現するのが習氏の意図だと見て間違いないだろう。

ウイグル人問題はチベット人、モンゴル人問題であり、香港、台湾、沖縄、日本の問題である。

埋め難い価値観の相違

習氏は17年10月の中国共産党第19回全国代表大会で、建国100年までに中華民族は世界諸民族の中に聳え立つ、人類運命共同体を築き全民族の幸福をはかると語った。

強い指導力で人類運命共同体を築き上げようという習氏は、まず、国民の熱烈な忠誠を求める。従わない者は容赦しない。そのためには効率よい監視が必要だ。そこで14年には世界インターネット大会を中国主導で開催した。インターネットこそ人民を監視し、取り締まる最強の武器だと見抜き、監視網の構築を急ぐ狡猾さを発揮したのだ。

20年9月8日には王毅外相が、「グローバルデータ安全構想」を提起し、中国政府が地球上のデジタルデータのガバナンスを主導すると発表した。情報は、これからの時代、国の力の源である。

その1年後、習氏は中国で開催された世界インターネット大会への祝辞で、「中国はデジタル文明によって人類運命共同体の構築を推進する」と表明した。人間、企業、全ての組織、民族、諸国全てに対して、より正確により厳しく監視・管理の網を張るというのだ。全人類が中国共産党の考え方、その秩序の実践を迫られるということであろう。

私たちは香港の民主主義があっという間に消されたのを目撃した。チベット人、モンゴル人が厳しい弾圧を受け、国を奪われ、言語、文化、宗教のみならず、多くの人々が拷問で死に、民族自体が消されつつあることも目撃している。ウイグル人も同じ暴圧の真っ只中だ。中国共産党の暴虐をいま止めなければ、日本を含む周辺国は彼らの考える「人類運命共同体」の下で支配されかねない。

米国も欧州各国も、中国共産党とのこの埋め難い価値観の相違に危機感を抱き、本気で批判の矢を放ち始めた。ウイグル人弾圧をジェノサイド（大量虐殺）と認定したのも、そのひとつである。

わが国の国会も中国政府に抗議する段階にきたというのが、冒頭で紹介した齋藤氏の挨拶だった。しかし、状況をつぶさに見ると、わが国の動きは、本当に恥ずかしい。国会は、中国にウイグル人などへの人権侵害に関して抗議し非難するはずだった。しかし、それが実現せずに流れたのが昨年までの動きだ。

わが国立法府の選良たちが準備した非難決議の原案そのものが酷い代物だった。「新疆ウイグル、チベット、南モンゴル、香港、ミャンマー等」での「人権侵害」を「非難」するとなっていた。中国による人権侵害を非難するはずが、中国という国名はなく、非難する対象国として明記されたのはミャンマーだけだった。公明党が徹底的に反対し、骨抜きにしたのだ。中国非難の決議から中国が消えたこと自体が理解し難いが、公明党はそれでも足りずに、後述するように、中国に気兼ねした恥ずかしい文章を出してきた。

公明党が非難決議から削除した文言

自民党政務調査会長代行の古屋圭司氏は、公明党の竹内譲氏が昨年12月半ば、修正を入れた縦書きの紙一枚を出してきた、と語る。それを私は別のところから入手した。一目見て驚いた。噴飯物である。公明党は「人権」と「平和」の党だと自称するが、国民を欺く詐欺師のようだ。

まず、決議文のタイトルを公明党がどのように修正したか。元々のタイトルは「新疆ウイグル等における深刻な人権侵害に対する非難決議案」だった。だが、公明党はまず、「人権侵害」を「人権状況」に変えた。「非難決議」から非難の二文字を削除してただの「決議」に修正した。

本文で「深刻な人権侵害が発生している」と断定した部分は「深刻な人権状況への懸念が示さ

れている」と柔らかい表現に直された。

「弾圧を受けている人々からは」支援を求める声が上がっているという件りは、「弾圧を受けているると訴える人々」と変えられた。弾圧を受けていると訴えているけれども、その訴えが本当かどうかはわからないという意味にうすめられたのだ。

原案には以下のように、衆議院としての決意も書きこまれていた。「(人権侵害や力による現状変更を)強く非難するとともに、深刻な人権侵害行為を国際法に基づき、国際社会が納得するような形で直ちに中止するよう」強く求める。「立法府の責任において、深刻な人権侵害を防止し、救済するために必要な法整備の検討に速やかに取り掛かる決意である」。

この二つの文章は公明党の執拗な働きかけで全て削除された。公明党は中国の手先かと疑うのは当然であろう。なぜこんなにしてまで、ジェノサイドと断罪されている中国政府の犯罪行為をボカさなければならないのか。池田大作氏は中国政府や中国の大学などから百十数種もの名誉称号を受けている。日本国民への裏切りはそうした称号と引き換えなのだろうか。

もっと情けないことは、自民党が公明党に引きずられていることだ。内容のないこんな決議を国際社会に発表することこそ日本の恥だ。日本は道徳を重んじ、人道主義を大事にするもっと立派な国だったはずだ。自民党よ、本来の日本を取り戻すために、公明党との縁を切れ。替りに国民民主や日本維新と協力すればいい。

(2022年1月27日号)

今、米国の足らざる点を日本が補え

２０２２年1月19日、就任1年を記念してバイデン米大統領が記者会見を行った。１時間51分、79歳の老大統領は立ったまま、語り続けた。

米中対立の構図が明らかないま、世界の命運は事実上バイデン氏の肩にかかっている。とりわけ日本は憲法の制約もあり唯一の同盟国に大きく依存している。バイデン氏の世界戦略こそ、日本の最大の関心事だ。

演説で大統領は二つ、語った。武漢ウイルス（バイデン氏はＣＯＶＩＤ19としか呼ばないが）と、インフレである。

前者については、就任時にワクチン接種済みの国民は２００万人だったが1年後は2億１００0万人に増えたと実績を誇った。３度目のワクチン接種の加速、ＰＣＲ検査、マスク、飲み薬の普及などについては実績を大いに喧伝した。後者に関してはインフレ抑制策として三つの具体策を詳述した。他方、中国、ロシア、北朝鮮などには言及しなかった。米国は元々内向きの大国だが、外交、安全保障について冒頭のスピーチで一言も触れないのだ。但し、記者達が質問してやむなく語りはした。

バイデン氏は冗長だ。四方八方に話が広がるため、主旨不明瞭になる。会見では政権批判の質問が続いた。

「インフレは加速、議会は停滞、大統領推進の投票権保護法案の失敗は明らかで、コロナウイルスの死者は日々1500人、米社会の分断は埋まらない。大統領は米国民に能力以上を約束したのではないか」

このように大統領及び民主党政権全体の能力を疑う質問が続いたのに対し、バイデン氏は果敢に答えた。

「私は、皆の期待以上によくやっている。ウイルスによる死者の数は、少し前はその3倍だった。状況はよくなっているんだ」「過去の大統領の誰よりも自分はよくやっている」と繰り返した。世界が落胆したアフガニスタン撤退の拙劣さについても「弁解はしない」と、強い自信を見せた。


「ジョー・バイデンは精神的に健全か」


米国民のコロナによる犠牲者が100万人に近づきつつある中、昨年11月、習近平中国国家主席との3時間半にわたるオンラインの首脳会談で、なぜ、武漢ウイルスについて追及しなかったのか、子息のハンター・バイデン氏が中国の銀行が関わる投資案件に関係しているためか、との問いへの答えが振るっている。

「その問題は提起した。私は彼（習近平氏）と長い時間を過ごした」

ではなぜ、その件は会談後の発表に含まれていなかったのか、と記者が食い下がった。「側近達は会談全体を通してずっと私の側にいたわけじゃないんだ」と、バイデン氏。米中首脳会談の一定の時間、側近が席を外して一人で習近平氏と語り合っていたと言っていることになる。そんなこと、あるわけがない。

ロシアによるウクライナ侵攻の危険性については、バイデン氏の主張は、控え目に言っても不明瞭だ。「小規模侵略なら、我々は何をすべきか、すべきでないか争うことになる」「国境に展開した軍隊を動かせば、米国と同盟国はロシア経済に多大な犠牲を払わせる」「ウクライナ侵攻はロシア側に多大な犠牲を生む。彼らは時間をかけて勝利する（prevail）だろうが、その結果は重く、生々しいはずだ」とも語っている。

凄まじい犠牲は伴うが、ロシアは勝利するだろうなどと、米国大統領が言うのか。ロイター通信が直ちに、プーチン氏に小規模侵略を許すつもりかと質したのも当然だ。回答でバイデン氏は次のように迷走した。

「大国はハッタリで脅すことはできない」「プーチンの目的はNATOの弱体化だ」「万が一のときはロシアにドルとの交換停止措置を取るが、ロシア、米国、EUにとってその衝撃は大きい」「ロシア軍がウクライナに侵攻すれば状況は一変する」「しかし、彼（プーチン氏）が何をするかによる。我々が何をどこまでするかはNATO全体がまとまりきれるかにもよる」と答えた。

文章になっていない。言い間違いも少なくない。何度も言い直すために、最終的に何を言っているのか、明確でない。こうした状態は一体何を示すのか。

「ニュースマックス」が「ポリティコ／モーニングコンサルト」の世論調査を引用して尋ねた。

「ジョー・バイデンは精神的に健全（mentally fit）か」との問いに、49％が「否」と答え、民主党員の過半数も否定的に答えたが、何故このような疑問が生じると思うか、と。この質問をバイデン氏本人にぶつけたのだ。

大統領は「わからない」と答えたが、会見のあとの方で「私は世論調査は信じない」と言い切った。世界最強の国の大統領にこんな失礼な質問が飛んだ。それほど、バイデン氏の評価は落ちているということだろう。

砂上の楼閣

日本はどのように対処すればよいのか。バイデン氏の欠点は忘れて、米国と力を合わせることが最も重要だとまず確認しなければならない。バイデン氏本人の能力ではなく、米国の能力と意思に注目するのが大事だ。相対的に力を落としても米国は依然として世界の超大国で、わが国の唯一の同盟国だ。米国の足らざるところを日本が最大限、最速で補い、中露に対する抑止力を築くことがわが国の国益になる。

中国の脅威は深刻だが、彼らの力が果てしなく長く続くはずのないことも認識しておきたい。中国の勢いはまず内側から殺がれていくのではないか。人口減である。中国の合計特殊出生率は1・3、わが国の1・34より低い。米国は1・64、欧州の平均は1・5だ。ついでに言えば韓国は0・84である。

統計によると、中国の生産年齢人口（15歳から64歳）は2022年以降顕著に減少し始める。他方、高齢者は急増し続ける。中国は人口が大きいために、一度は米国のGDPを抜いて世界一の経済大国になる。その時期は当初33年と見られた。中国経済が好調に進んでいたとき、中国が世界一の経済大国になる時期が28年に繰り上げられた。しかし、今再び33年に見直された。米国は中国に一旦抜かれても、今世紀中に再び中国を抜き返して世界最大の経済大国に戻る。

中国共産党は社会保障制度も医療保険制度も整えていないために、超高齢化社会で国民の不満は募り、国家運営が安定する保証はない。監視カメラで国民を雁字搦(がんじがら)めにしても、それが平和的、安定的な統治を可能にするわけではない。

ウイグル人、チベット人、モンゴル人に対する弾圧と虐殺の統治はおよそ全ての心ある人々、民族、国々に忌み嫌われている。中国には真の友人はいない。全く、いない。軍事力と経済力を誇っても、人間を幸せにしないのであるから全て砂上の楼閣のようなものだ。

中国がいずれ力を落としていくのは避けられない。そのときまでたとえばあと10年か、20年か。私たちはこの一番大変な時期を米国や欧州、インド、豪州、アジア諸国と共に頑張ればよいのだ。日本が強くなることだ。

（2022年2月3日号）

【追記】

2023年1月、中国の総人口が22年実績で前年から85万人、減少していたことが報道された。10年も前倒しの人口減少だった。中国の人口は、しかし、もっと深刻な局面にあると指摘されている。それは、22年6月、中国を襲った史上最悪のハッキングによって明らかにされた。上海警察のデータベースが攻撃され、個人を特定できる最新情報10億人分が流出したという。売りに出されたデータを分析してみると、流出したデータセットには全国民の個人識別情報が含まれていた可能性が高いと結論づけられた。つまりこの10億人分のデータセットは何かのサンプル調査に使われたものでも、中国人口の一部を取り出して行った調査でもなく、中国の総人口だったのではないかと結論づけられた。中国は14億人ではなく10億人の国だったと考えられるのだ（「ニューズウィーク」23年3月21・28日号）。

国力の土台である人口が4億人も少なかった。それが事実なら衝撃的だ。

中国経済の先行きに影を落とすもうひとつの情報がある。ロンドンの経済調査会社キャピタル・エコノミクスは中国の労働人口が２０３０年までに毎年０・５％減少することや生産性の伸び率が鈍化することに注目し、もはや中国経済が米国を追い抜くことはできないとの分析を発表した。フランスの投資銀行グループ、ナティクシスの主任エコノミストも中国経済は米国に後れをとったままになる可能性に同意した。

世界の厄介者、北朝鮮を育てた中国

北朝鮮が前例のない頻度でミサイル発射を続けている。狙いのひとつは米国を交渉の席に引きずり出し、国連の対北制裁措置を解除させることだろう。

北朝鮮がそれまでにない大規模な核実験を行ったのは2017年9月3日だった。広島に投下された核爆弾の約10倍、160キロトンの水爆弾頭の実験だった。同年11月には大陸間弾道ミサイル（ICBM）も発射した。国連は北朝鮮に厳しい経済制裁を科した。朝鮮問題の専門家、西岡力氏が語る。

「安倍首相とトランプ大統領が主導した国連制裁が、いま非常に効いています。北朝鮮の窮状は衝撃的です。今年（2022年）1月に列車とバスが中朝間を往来しましたが、中朝貿易が再開したとはいえず、北朝鮮の物不足を解消するには程遠い。その結果、北朝鮮では紙幣印刷に必要な紙も印刷資材もなくなっています。北朝鮮当局は国産のペラペラ紙で『中央銀行トン票』と呼ばれる臨時のお札発行に追い込まれたほどです」

トン票については以下のような注意がなされている。

「紙質が良くないことをよく理解して丁寧に清潔に利用し、汚したり破損させたりせず、愛国心を発揮して少しでも長い期間利用せよ」

食糧危機も深刻である。21年には、1月、2月、6月、12月と立て続けに朝鮮労働党中央委員会総会を開いた。このように複数回にわたって中央委員会総会を開くことは異常である。議題は、食糧危機克服の緊急対策についてだった。如何に食糧事情が危機的状態にあるかを示している。正恩氏がこのように危機意識を高め、檄を飛ばしたにも拘わらず、食糧事情は改善されず、21年は軍や党幹部への食糧配給も断続的に止まった。

断崖絶壁に立つ金正恩氏の連続ミサイル発射の意味は、苦境を打開するためにまず米国と交渉したいということだろう。同時に一連のミサイル発射という強硬手段は、米軍に対する恐怖心の現われでもあろう。

前述の17年9月3日の水爆実験から3週間後、トランプ大統領はグアムから戦略爆撃機B1Bを北朝鮮に向かわせた。F15C戦闘機など十数機に守られた巨大な図体の爆撃機は正恩氏がそのとき滞在していた北朝鮮の東海岸にある元山沖で模擬空襲演習を行った。米軍は正恩氏を殺害することもできただろう。トランプ氏は元山沖での演習に「金がかかる」などと不満を述べたが、マティス国防長官は「大統領に核兵器使用を勧めなければならない状況に備えて」「苦悩した」とそのときのことを語っている。つまり、米国は本気で核の使用を含めて戦略を練ったということだ。正恩氏殺害も現実の選択肢だった。状況は非常に緊迫していたのである。

米国の怒りが本物だと認識した正恩氏は、恐怖の余りその後、核及びミサイルの実験をピタリとやめた。

そして22年2月のいま、米国は西太平洋に空母5隻を展開中だ。それを正恩氏が気に病んでいないはずはない。追い詰められた正恩氏が逆に強気に出る可能性を指摘するのは元防衛大臣、小野寺五典氏だ。

「バイデン政権の対北政策には、トランプ前大統領のときとは違って宥和的な姿勢はありません。それに対して正恩氏は自分の力を見せつけるためにグアムに届く中距離ミサイルを撃ってみせたのだと思います。北京五輪の後にはＩＣＢＭの発射実験もあるかもしれません。その場合、米国はウクライナを狙うロシア、北朝鮮、中国を相手に3正面の戦いに直面することになります」

核兵器を拡散した鄧小平

昨年8月末、バイデン氏はアフガニスタンからの米軍撤退を実現した。中東と中国の2正面作戦は出来ないために、中東から撤退して中国に集中するためだと、バイデン氏は語った。しかしわずか5か月で情勢は大きく変わり、2正面を超えて3正面の戦いの危険性が高まっている。

ロシアのプーチン大統領のウクライナ戦略の行方はわからない。08年の北京五輪のときも、14年のソチ冬季五輪のときも、プーチン氏は他国を侵略した。今度もウクライナ軍事侵略に踏み切る可能性はあるだろう。そのとき米国は、いま論じているような対ロシア経済制裁だけで乗り切れるのか。ＮＡＴＯ諸国からもっと強い行動を求められるのではないか。米国が動かなければウクライナはロシアに組み敷かれる。米国が何もせずウクライナが屈服するとき、中国は好機到来と考え、台湾にあらゆる面から圧力を強めるだろう。それは日本存亡の危機である。

中国がどれ程性悪な国かを、知っておきたい。09年の出版で、トーマス・リード、ダニー・スティルマン両氏による『核の急行便』（未邦訳）から紹介する。リード氏は米国空軍の長官を務め、レーガン政権下で国家安全保障会議の一員だった。氏は、戦わずしてソ連を崩壊に導いたレーガン政権の対ソ政策立案に貢献した人物でもある。スティルマン氏は原爆の研究で知られるロスアラモス研究所に28年間勤めた核の専門家だ。

同書は結論の部分で中国、とりわけ鄧小平の役割を特記している。鄧によって核兵器は第三世界に拡散されたと明確に指摘しているのだ。鄧はまず、パキスタンに核技術を与え、アルジェリアの砂漠地帯に秘密の原子炉を築きプルトニウム生産を試みた。サウジアラビアには核兵器のみ搭載可能なミサイルを売った。北朝鮮の核開発を黙認し、石油欲しさにイランの核開発計画にも目をつぶった。核だけでなく大量虐殺が可能な生物化学兵器の拡散に、鄧は最も熱心だった。これが鄧小平氏の姿であることを忘れないことだ。

中国の犯行だという痕跡さえ残らなければ

06年、北朝鮮の核実験を受けて、国連では北朝鮮の港に出入りする船を臨検すべしという声が起きた。それに断固反対したのが中国だ。そのうえ、国際規約で禁じられている物資や製品を核拡散諸国が北朝鮮で調達する際、中国はそれら諸国の航空機が中国上空を飛行する便宜を図った。

米国がイラク戦争に突入する直前、中国はイラクにミサイルの部品を送った。またミサイル誘導装置に必要なソフトを「子供用のコンピュータソフト」と偽ってイラクに供与した。パキスタンの死の商人、カーン博士には核兵器に関する情報をひとまとめにして教え、カーン氏はそれをリビアやイランなどに売った。その他多くの事例が記述されているが、これで十分だろう。
中国の犯行だという痕跡さえ残らなければ、中国はニューヨークやワシントンへの核攻撃にも反対しない可能性があると、リード氏らは結論づけている。
3正面の戦いなら米国は苦戦する。日本がなすべきことは少しでも早く日本の力を強くすることだ。日米間には菅・バイデン両首脳の共同宣言、日米の「2+2」などでの合意がある。いずれも台湾の安全と日本の安全は事実上重なるとして、日米で中国に抑止力を効かせるという確約だ。万が一、抑止が無理なら「対処する」とも合意した。対処するとは、行動を共にする、軍事的に扶(たす)け合うということだ。ミサイルが飛び交う戦いが予想されるとき、ミサイル防衛での対処は無理で、打撃力の強化が必要だ。核で恫喝する中露北朝鮮に対して、わが国の非核3原則を2原則へと一日も早く見直すことだ。戦争抑止の最大の力が核戦力であることを認識したい。

(2022年2月10日号)

【追記】

「中国の犯行だという痕跡さえ残らなければ、中国はニューヨークやワシントンへの核攻撃にも反対しない可能性がある」
この指摘を私たちは肝に銘じておくことが大事だ。中国は23年4月現在、ウクライナ侵略戦争で核が使用されることには反対と言っているが、かといって核の使用に絶対的に反対かと言えば疑わしい。中国主導で核が世界に拡散されたことはリード氏らの研究で明らかになっている。北朝鮮の核開発を中国が阻止するかと言えばそれも疑わしい。そのことは2022年から23年にかけて北朝鮮が米国、韓国、日本への核攻撃を想定した演習を続けているのを黙認していることからも明らかだ。

2022年11月に北朝鮮は「火星17」（大陸間弾道ミサイル・ICBM）を試射した。続いて23年2月18日にはICBMの「火星15」をミサイル演習部隊が発射演習した。ICBM発射が試射から演習に格上げされたことは、いよいよ北朝鮮が米国を標的にした核攻撃演習を始めたということだ。ちなみに火星15はすでに実戦配備されていると、朝鮮問題専門家西岡力氏は指摘する。

火星15の発射演習の翌日、米空軍は日本海上空で航空自衛隊のF15と、また韓国の防空識別圏内で韓国空軍のF35A、F15K戦闘機とそれぞれ合同演習を行った。西岡氏が語った。

「すると翌日、北朝鮮は短距離弾道ミサイルを日本海に発射して、これは戦術核運用部隊による発射演習だったと公表したのです。つまり韓国に対する核攻撃演習を公然と行ったのです」

米韓両国も黙ってはいない。22日に米国防総省で米韓同時机上演習を行ってみせたがこれは北朝鮮の核に対する、米国による核報復の演習だった。対して北朝鮮は翌23日に巡航ミサイルを発射し、「核抑止力の一部である戦略巡航ミサイル部隊が共和国核戦闘武力の臨戦訓練を行った」と発表した。

緊迫した状況を受けて韓国の尹錫悦大統領は23年1月11日、「韓国に戦術核を配置するか、我々が自前の核を保有することもできる」と語った。

韓国国民の反応は、日本人にとっては驚きだったかもしれない。米軍の核配備または自前の核保有発言を76％が支持したのである。有力紙朝鮮日報は2月20日に「解決策は韓国独自の核保有しかない」との社説を掲げた。

西岡氏が韓国人の胸の内を解説した。

「彼らは朝鮮戦争の記憶を忘れていません。金日成の戦略も分かっている人が少なくないのです。金日成は、自分たちが朝鮮戦争で韓国を併呑できなかったのは米軍が介入したからだ。次に仕掛けるときには米軍の介入を阻止しなければならない。そのために米本土に届く核ミサイルを持つことだと考え、1950年代から核開発を続けてきた。それがいま、実現しようとしているのです。韓国側から見れば、北朝鮮の核ミサイルは正に悪夢です。自分たちの頭上を金正恩の核ミサイルが飛んでいる。ならば、自分たちも核を持って反撃能力をつけるというのは当然なのです。この迫り来る危機を感じていないのが、唯一、日本です」

中国の正体と北朝鮮の核の意味を、日本人は腹の底に刻まなければならない。

ウイグル人への強制収容、強制労働、もしくは拷問、殺害などで国際社会の非難を浴びていた習近平氏が遂に北京冬季五輪開催に漕ぎつけた。2022年2月4日のことだ。世界各国が開会式をボイコットする中、大国の首脳としてただ一人北京に飛んだのがプーチン露大統領だった。ロシア選手は、ロシア政府主導の下、集団で筋肉増強剤などのドラッグを使用していたドーピング違反で国家を代表するチームは組めなかった。参加したのは全て、選手個人としての資格においてだった。中露両国にとってこのような異常な、或いは不名誉な状況の中で、プーチン氏と習氏が首脳会談を行った。北京五輪開幕式当日、異形の指導者二人は限りない友情を誓い合った。

共同声明は冒頭で「国際秩序の変革が持続的に進み、国際的勢力分布が再構築に向かっている」と謳う。必要なのは「真の多国間主義」であり、「民主主義は少数の国の専売特許ではなく」

全人類共通の価値だと、高らかに宣言したが、この件りは米国に向けたものだ。

ロシアは新型コロナウイルスの起源追跡は科学の問題であり、「起源追跡問題の政治化に反対する」として中国が最も嫌がる案件で中国を擁護した。台湾問題についても「ひとつの中国の原則を順守し、台湾が中国領土の不可分の一部であることを認め、いかなる形での台湾独立にも反対する」と改めて表明して、中国を支持した。

彼らはまた、北大西洋条約機構（ＮＡＴＯ）の拡張継続に反対し、「インド太平洋戦略が地域の平和安定にマイナスの影響をもたらすことを強く警戒する」と宣言した。

この件りで共同声明は「米国が推し進める『インド太平洋戦略』」と書いたが、これは安倍晋三総理が提唱した戦略である。

さらにロシアは習近平氏の「人類運命共同体」の理念を積極的に評価した。

全体的に見てロシアが中国の理念や戦略を高く評価する部分が多かったが、中国も積極的にロシアとの関係を高次元に引き上げた。以下の部分だ。

「双方は新型の大国関係構築を提唱し推進している。中露の新型国家関係は冷戦期の軍事政治同盟関係モデルを超越したものだ。両国の友好に終わりはなく、協力にタブーはない」

大変なことを言っているではないか。中露間の新型大国関係は冷戦時に米ソが対立していたとき緊密に保たれていた中ソ関係、中ソ同盟関係のモデル、型を超越したものだと言っている。

豪州の元首相で親中派の代表ともいえるケビン・ラッド氏が米紙「ウォール・ストリート・ジャーナル」にこう語っていた。「１９５０年代の中ソの苦い分裂以来今日まで中国が欧州安保の問題でこのような権威ある形でロシアを支えたことはない」「国際社会は中露がさらに安保、経済など重要分野で関係強化に進むことに備えなければならない」。

22年2月4日のこの首脳会談でプーチン氏がどこまで詳しくその後のウクライナ侵略の計画を語ったかは定かではないが、確かなことはプーチン氏がウクライナ侵略計画を語り、習氏がそれを止めないどころか、支えたことだ。一方で、中国は米国経由でロシアの意図をかなりのところまで知っていたとの報道がある。

22年2月25日の「ニューヨーク・タイムズ」紙でエドワード・ウォング記者が、米国がロシアによる侵攻を阻止しようと中国に働きかけ米国の有するインテリジェンス情報まで渡していたと報じている。同記事によると、侵攻開始前の3か月間、米国が中国と計12回会談してインテリジェンス情報を示し、ロシアがウクライナ包囲を強めている、侵略の意図が見える、ロシアの侵略を止めるように動いてほしいと「懇願」したという。だが、その度に中国はすげなく拒絶し、ロシアは侵略の準備はしていないと主張し続けたそうだ。

米国側が働きかけた中国側要人には、王毅外相、米国大使の秦剛氏が含まれていた。中国は米国の献言を拒絶するのみならず、裏切っていた。中国がロシア側に米国の一連の動き、即ちインテリジェンス情報を示して中国を説得しようとしている、中露間に不和を生じさせようとしていると伝えていたことを、21年12月時点でアメリカが把握したと報じられている。中国はロシアに情報を漏らした際、「中国はロシアの計画と行動を妨げる気がない」とも伝えていたという。

22年3月2日、「ニューヨーク・タイムズ」はさらなる米欧のインテリジェンス情報を報じた。中国がロシアにウクライナ侵攻は北京冬季五輪が終わるまでしないでほしいと要請したというのだ。北京冬季五輪は2月20日に閉幕した。21日にはプーチン氏がウクライナはロシアの一部だという怒りを含んだ演説をし、ウクライナ東部の紛争地区に新たな軍を投入せよとの指示を出した。ロシアは中露国境に配備していたロシア軍をウクライナ近くに移動させた。この部隊移動は中露間に確かな信頼関係があることを示すものだった。

そして2月24日、ロシアの侵略開始前にも米国側は秦剛駐米大使の説得に当たっていた。秦剛氏は「プーチン氏のウクライナ侵攻」に強い疑義を表明するばかりだったが、その数時間後に侵略戦争が始まったのだ。ウクライナ侵略戦争は新型大国関係構築を誓い合い、終わりなき友好とタブーなき協力関係に入った中国とロシアの、戦後国際秩序破壊の一大幕開けだったのだ。

第三章　米露が疲弊した後に

命懸けの祖国防衛戦、その尊さを知れ

ウクライナを逃れた女性、子供、お年寄りは、3月13日時点で280万人に達した。夫や息子は祖国を守るために残る。妻は子供や年老いた両親を守るため、国外に避難する。涙の惜別の後、彼らが再び会える日がくるのか、誰にも分からない。

他方ウクライナ国内には4000万人以上が残っている。男性だけでなく、女性も子供もお年寄りもだ。海外メディアは祖国に残る彼らの想いを伝え続ける。

「ロシアの侵略に私も抵抗する。死ぬかもしれないが、戦う」と高齢の女性は言った。「ウクライナ軍がロシア軍の攻撃を受けないように、カモフラージュのための網を作っています。少しでも役に立ちたい」と若い女性も健気な心意気を見せた。

大学2年生の男性二人は18歳だ。CNNの取材にこう応じた。

「3日間の軍事訓練で銃の撃ち方など基本を学んだ。人間の本性として、恐怖がないとは言えないけれど、大方の時間、そんなことは考えていない。ロシアに国を奪われることは絶対に阻止す

る。祖国を守る。僕らに他の選択はない」

激化するロシア軍の無差別攻撃で無辜(むこ)の人々が斃(たお)されていく。日本には、この眼前の悲劇を終わらせることが最重要で、一日も早くプーチンと交渉せよ、妥協せよ、という人もいる。中国に仲介を頼め、ゼレンスキーはこれ以上戦って犠牲を出すな、と口角泡を飛ばす人もいる。ミグ29戦闘機をウクライナに渡さない米国や北大西洋条約機構（ＮＡＴＯ）は、結局ウクライナを犠牲にして自分たちの安全を守っているのだと認めよ、日本も同罪だ、と逆にこちら側を責める声もある。これらはおよそ無意味な意見だ。

はっきりしているのは、戦争を仕掛けられたウクライナのゼレンスキー大統領が諦めずに戦うと決意していることだ。米英両国に首都キーウからの脱出を勧められてもきっぱり拒否した。「もっと武器をくれ」「ウクライナ上空を飛行禁止区域にしてくれ」「さもなければロシア軍はやがてＮＡＴＯをも攻撃する」と警告し、死を覚悟して戦う姿勢を変えていない。自分が先頭に立ち続け、降伏しない、戦い続けようと国民を鼓舞し続ける。それを国民が圧倒的に支持している。そして海外在住のウクライナ人男性たちは防衛戦のため祖国に戻っているのである。

プーチン敗北後の世界

私たちは何よりもこのウクライナの決断を尊重すべきである。ウクライナが諦めれば、ウクライナは消えてなくなるのだ。それが分かっているから、彼らは戦う。プーチンのロシアに祖国を奪われてなるものかというウクライナ人の命懸けの決断は、この上なく尊い。それを第三国の私たちが否定するのは控えるべきだ。命を捧げて国を守ることの尊さを忘れた主張は、ウクライナを背後から撃つに等しい。

ウクライナ人が死を回避し生きのびることを望むのなら、プーチンの要求を容れ、降伏し、ロシアの属国になるのが近道だ。しかし彼らは断固として拒否している。ウクライナにとどまり、ロシア軍の爆撃を受けても退かない。命を落としてもやめない。撃ち返し続けている。

こうした彼らの姿が世界を動かしている。世界の人々、国々が反プーチンで一致し、行動を起こしている。ウクライナ政府と国民の尊い犠牲がウクライナを救う力となっているのである。大東亜戦争で敗れて以来、このような戦う国民の姿は日本人にとって見慣れないものなのであろう。だから表層のみを見て、その犠牲を気の毒だと感情的にとらえるのだ。これははっきり言って間違いだ。祖国に命を捧げる行為を、敬意をもって受けとめることを、いま、私たち日本人は学ぶのがよいと思う。

3月14日になって、プーチンが真剣に交渉する気になっていると、米国務副長官のシャーマン氏が語った。米国はまた、プーチンが中国の習近平国家主席にウクライナ侵略開始当初から軍事的、経済的援助を要請していたとの情報を発表した。プーチンとの交渉の展望はまだまだ見通せない。しかし、ここまでプーチンを追い込んだ第一の要因は、間違いなくウクライナ人の果敢な戦い振りだ。

中国に仲介を頼めとは中国の実態を見ない主張である。開戦前、米国は中国側に、ロシアに無謀な戦争を思いとどまらせるよう、12回にわたって働きかけを頼んだ。「ニューヨーク・タイムズ」紙は、米国側は中国側に「懇願した」と報じた。それでも中国側はその全てを退け、逆に米国を緊張を高める「犯罪者」(culprit)だと公式に非難した。

いま、国際社会が警戒しているのは、日米欧の対露制裁に一貫して反対してきた中国が、プーチンへの軍事的、経済的支援を、いかなる形であれ実施することだ。そんな中国に仲介を頼むのは中国の実態を知らなすぎるからだろう。

ウクライナ侵略戦争の真っ只中で、日本は冷静に考えよう。プーチン敗北後にどんな世界が出現するか。たとえば中露関係だ。政治的に終わったプーチンが、習氏にとってどれだけの価値を持ち続けるかは疑問だが、力を失ったロシアは中国にとって重要な資源供給国になるだろう。世界最大級の資源保有国でありながら産業らしい産業が育っていないのがロシアだ。そのロシアを、ウイグルやチベットから貴重な資源を奪い続けているように、中国は資源供給のジュニアパートナーとする。中国がユーラシア大陸の支配を強めるということだ。この地政学的な大展開こそ日米欧にとって最大の脅威となる。

最悪に備える準備を

習近平の中国は、次の局面では間違いなくこれまで見てきたいかなる国よりも手強い、最大の脅威になると考えておくべきだ。武漢ウイルスもウクライナ侵略も全て中華帝国の復興に利用して世界制覇を目論む中国共産党の第一の標的は台湾であり、日本だ。ウクライナ問題は感情でとらえるのではなく、国家としての視点で大きな枠組みで見るべきだ。

侵略されているウクライナを最大限支援するのは当然だが、私たちの視点と視野はそこにとどまってはならないということだ。次は日本の番だという自覚に基づいて日本国を守り抜くための具体策を探りあてなければならない。最悪に備える準備を急ぐことだ。

たしかに中国は手強いが、意気消沈する必要もない。彼らには深刻な問題がいくつもある。徹底した監視システムでいつまで国民をコントロールできるのか。経済力と軍事力でいつまで世界諸国を恫喝できるのか。西側の私たちには一人一人の人間の自由意思、自発的行為の強みがある。ウクライナはそうした力を今回、ＳＮＳ経由で大いに活用した。人権弾圧を基盤にする中国に、私たちは人間の自由で立ち向かえる。

日本を守るには自衛隊だけに役割を任せておいては不十分だ。日本人全員が日本を守ると決意しなければ、中国の脅威から日本を守ることなどできない。精神、軍事、経済、法律、全ての面からわが国の国防体制の強化こそ大事だと気づきたい。

（２０２２年３月24日号）

専守防衛を見直してもなお心許ない日本の国防

プーチン露大統領の考え方は「MICE」で表現される。人を動かす力は金（money）、イデオロギー（ideology）、弾圧（coercion）、エゴ（ego）だと見るところが、KGB（ソ連国家保安委員会）のインテリジェンス・オフィサーの特徴だという。

対ウクライナ侵略戦争はすでにひと月と3週間に及ぶ。戦費は1日当たり200億〜250億ドル（2兆500億円〜3兆1250億円）に上ると、英国政府が3月25日に発表した。ロシア政府の歳入は25兆ルーブル（約37兆5000億円）にすぎず、元NATO欧州連合軍最高司令官のスタブリディス氏は「プーチンは国民の支持を失う前に金欠に陥る」と語っている。

局面打開を急ぎたいプーチン氏は4月9日、ウクライナ作戦を統括する司令官に南部軍管区のドボルニコフ氏を任命した。この人物は2015年、シリアでアサド政権の劣勢を挽回するために送り込まれ、殲滅作戦の徹底で反アサド勢力を潰した。いまウクライナで行っているのと同じく、軍事施設、民間施設の区別なしに猛攻撃して無辜の国民多数を殺し、欧州や中東各国を66

0万人の難民で溢れさせた張本人だ。

プーチン氏は現在キーウなどウクライナ北部から撤退し、東部での戦闘に向けて態勢を立て直しており、その統括官が無慈悲極まるドボルニコフ氏だ。ウクライナ側は大規模戦闘への準備はできていると発表、ゼレンスキー大統領は「抵抗をやめれば弱い立場に立たされる」と、徹底抗戦継続の覚悟を示した。

西側のウクライナ支援も新たな段階に入った。4月8日にはEU委員長フォンデアライエン氏がキーウを訪れ、ウクライナのEU加盟を急ぐと約束した。9日には英首相のジョンソン氏もキーウを電撃訪問し、英国が新たに装甲車輛120台に加えて対艦ミサイルシステムも提供すると発表した。オーストリア首相のネハンマー氏も同日キーウを訪れた。

台湾有事を念頭に展開する中国の主張

西側からの武器装備の支援も進む。米国は最新鋭のM1戦車250輛をポーランドに供給し、ポーランドは手持ちの旧ソ連製戦車をウクライナに渡すと決定した。地対空ミサイルのS300も同様の形でウクライナに渡されようとしていると、自民党外交部会長の佐藤正久氏が語る。

「PAC3は東欧諸国が強く望んでいる武器です。彼らの多くはソ連時代のS300を使用しています。ポーランドはS300をウクライナに渡して、米国からPAC3を得たいと考えています」

ウクライナ国境近くのポーランド空軍基地にはすでにPAC3が配備され米軍が展開中だ。だが米国側にはポーランド常駐を避けて中国に向き合うという戦略があり、米国がポーランドにP

ＡＣ３を供与するのは米国の方針にも適う。

米国は携行型の無人攻撃機、スイッチブレード３００も１００機、ウクライナに提供する。これは射程10キロ、軽装甲車などの破壊に威力を発揮する。ウクライナへの武器装備の支援は明らかに防御型から攻撃型へと移った。

西側が目に見える形でウクライナへの軍事支援を強化させる背景には、ロシア軍撤退後のブチャの町で多数のウクライナ人の虐殺遺体が発見されたことがある。他の多くの町でも同様の事態が起きていると見るべきで、ロシアの非人道的行為に対する国際社会の非難と反ロシア感情はかつてなく高まっている。日本も米欧と共にウクライナを支援するのは当然だが、この局面で忘れてならないのが、わが国が近い将来直面する中国の脅威への対処だ。

習近平国家主席は今日に至るまで一言もロシアを批判しない。ウクライナ問題はロシアとウクライナが話し合って決めるべきで、米国とＮＡＴＯもロシアと対話せよ、と言い、ロシアへの多国間制裁は止めるべきだ、と主張する。ウクライナ問題の原因はＮＡＴＯの東方拡大にあると言ってロシアと歩調を合わせ続ける。

中国の主張は全て、台湾有事のとき、どのように自国に都合のよい状況を作るかを念頭に展開されている。つまり、台湾有事のとき、台湾は中国と話し合って解決せよと言っているのだ。アジアにはＮＡＴＯに匹敵する軍事同盟がないため、台湾を支援するのは台湾関係法を整備している米国と、日米同盟を有する日本が主力となる。それとても台湾と正式な軍事同盟なしにどこまで出来るのか。台湾の立場は非常に脆い。

多国間の制裁を牽制するのも、ブチャにおける市民虐殺を「ロシア軍の行為だとする証拠がない」として否定するのも、中国は自身の立場に引きつけて考えているからだ。

日本独自の核保有を議論し公開せよ

台湾有事はまさに日本有事だ。この現実の前で、わが国はどうするのか。自民党安全保障調査会は日本の国防力強化問題を論じており、会長の小野寺五典氏がこう語った。

「4月11日の会合では専守防衛の意味を国民に正確に伝えるべきだという結論を得ました。専守防衛は日本さえ平和を守っていれば相手側も攻撃しないで平和が守られるという印象がありますが、それは間違いだということです。専守防衛では攻撃を受けて初めて反撃するのですから、日本国民に被害が生じることを前提とした考え方だと国民にはっきり伝えることで一致しました」

公明党がこだわり続ける専守防衛という言葉は何かしら平和的な政策だとのイメージがある。だが、それは日本国民が犠牲になることを前提とした戦略である。何百人か何千人か何万人かはわからないが、まず日本人が攻撃を受けて犠牲者が出たときに初めて自衛隊が戦い始めるからだ。これが専守防衛の考え方だ。それでよいのかと、国民に明確に伝えることを決定したということだ。大いなる前進ではあるが、同時に、世界の現実から日本がどれだけ遅れているかを痛感する。

攻撃能力（敵基地攻撃能力）の保持については、敵の中枢機能を叩く能力も含めて持つべきだと、皆の意見が一致した。この点も評価する。

ロシアはウクライナで化学兵器や核兵器を使うのではないかと言われてきたが、11日、英国防省はロシア軍がドネツク州で「非人道的兵器」に指定されている白リン弾を使用したと発表した。ゼレンスキー大統領はマリウポリで2万人以上の市民が死亡したと発表した。ロシアは地獄を生み出している。

中国も北朝鮮もロシアと同類だ。彼らの化学兵器、核とミサイルの脅威に取り囲まれているわが国の安全を守るのに、専守防衛の見直しと攻撃力の保持だけで十分とは思わない。米国による核の拡大抑止力の強化や、米国との核の共有、さらに日本独自の核の保有について、自民党の国防問題の専門家らは話し合わなかったのだろうか。小野寺氏によると、核保有は無論、核共有を支持する意見も全くなかったそうだ。米国の核の傘の拡大抑止については閣僚レベルで協議するのがよいと結論づけたそうだ。

しかし、岸田文雄首相はこれまでの自民党・政府の非核3原則の立場より後退して、非核3原則を国是だと言い切った。そんな首相の下で、首相から任命された閣僚が核についてどれほど踏み込んだ議論ができるのか。できないだろう。この重要な問題を政府に投げるだけで、与党として議論をしないのは責任逃れである。政権政党として議論し、その議論を公開し、国民の国防意識を高める責任があるはずだ。

（2022年4月21日号）

外為法の穴を突き最新技術を奪う手口

プーチン露大統領のウクライナ侵略から2か月の4月24日、米国のブリンケン国務長官とオースティン国防長官がウクライナの首都、キーウを訪れた。

「キーウでは通りを行き交う人々の姿を見た。キーウの戦いに勝利した証拠だ。キーウの主権を奪うというロシアの目的は失敗した」と、ブリンケン氏は述べた。オースティン氏は「ウクライナは適切な軍事援助でロシアに勝てる」と踏み込んだ。米国は今週にも西部のリビウで大使館業務を再開し、軍事支援も追加する。

他方、プーチン氏はウクライナ東部2州とクリミア半島で、ロシア勝利を明確な形で示し、5月9日の戦勝記念日に間に合わせる考えだ。だが、ロシアの侵略はそこで終わらない。4月22日、ロシア軍のミネカエフ将軍が語っている。

「ドンバス地方と南部ウクライナの完全掌握でクリミアへの回廊が確保できる。それはトランスニストリアにつながる道だ」

トランスニストリアはウクライナに隣接する小国、モルドバの一地域だ。ロシアの目的は、ウクライナを押さえた上でモルドバも手に入れることなのだ。

ウクライナのゼレンスキー大統領は戦う意志を曲げないで今日に至る。ロシアによる核攻撃の危険性が語られたときも、氏は周辺各国に「核攻撃に備えるように」と警告したが、ウクライナがロシアの核に屈服するとは言わなかった。氏もウクライナ国民も命懸けで国を守る戦いに徹する点においては揺るがない。国家は一人一人の人間の死を超えて、存続すると認識しているのだ。

日本国と日本人はどうか。近い将来中国によって国家の土台を揺るがされるときが来る。そのとき、中国の脅威はロシアのそれより遥かに恐ろしいものになることを私たちは知っておくべきだろう。

日本企業を丸々買い取れ

習近平国家主席と中国共産党はプーチン氏とその周辺の人々より遥かに賢い。いきなりデタラメな口実で乱暴な軍事攻撃を仕掛けるのではなく、搦(から)め手でやってくるだろう。日本人は騙されて、持てる力を吸い上げられ、気付いたときには打つ手もない状況に落とし込まれているかもしれない。こんな技は中国の得意とするところだ。現にいま、信じ難くも危険な事態が進行中だ。

国家基本問題研究所の企画委員で明星大学教授の細川昌彦氏の指摘だ。

「中国はいま、重要な戦略産業を全て国内で賄おうと尋常ならざる努力をしています。戦略産業の基幹部材を供給する外国の中堅・中小企業を買収するファンドを立ち上げ、買収候補企業のリストを作成中です」

これまで中国は、合法非合法を問わず、あらゆる手段で世界の技術を手に入れ、経済成長を遂げてきた。日本を含む世界の企業は競って中国に投資し、合弁事業に乗り出した。中国に進出する際は最新の技術を持ってくるようにと強要され、中国での事業活動においては中国共産党の監視と指導を受け、結果として中国に最新技術を奪われてきた。

典型例のひとつが高性能磁石である。高性能磁石はレアメタルなしには作れない。中国は世界のレアメタルの70％を供給する。２０１０年、尖閣諸島の領有権を巡って日中関係が緊張すると、中国は日本へのレアアースの輸出を止めた。日本の産業界は追い詰められたが、そのとき中国側は、日本の製造業が中国で合弁事業体を作り中国で生産すれば、レアメタルも供給するし協力すると誘った。とりわけ狙ったのが高性能磁石の技術移転だった。

日本の高性能磁石は文字どおり世界最高峰にあった。たとえばネオジム磁石は世界最高レベルの磁力を発し、自動車、ＩＴ、家電、産業機械、医療、環境、エネルギーの各分野で最終製品の小型・軽量化、高効率・省エネ化などに欠かせない。中国は垂涎の的のこの技術を手に入れようと、高性能磁石の大手3社、日立金属、信越化学工業、ＴＤＫに接近した。日本政府は3社の中国進出を止めようとしたが、結局、３社とも中国に合弁企業をつくった。そして日本の優れた技術は完全に中国に奪われてしまった。

日本政府は中国への技術移転を防ぎきれなかったのだ。企業は事の重大性を認識できなかったのだ。しかし、いま進行中の事象は当時よりさらに深刻だと、細川氏は言う。

「中国側は日本企業の対中投資を促すよりも、日本企業群を丸々買い取ってしまおうとしているのです」

日本企業が最先端の技術を中国に移転することについては経済産業省が目を光らせている。高性能磁石の技術についても、経産省は移転を警戒して度々介入した。それでも中国は日本企業をまんまと合弁に誘い技術を奪いおおせたが、もっと簡単な方法を見つけたのだ。それが日本企業の買収である。

「日本売り」が商社の仕事ではないぞ

中国の対日投資であれば、所管は経産省から財務省に移る。だが財務省による外為法の規制は十分とは到底いえず、中国から見れば穴がある。手続き上、日本側を騙せる余地が十分にあるうえ、長年のデフレと低い経済成長で日本は物が安い。不動産も企業価値も全てが安い。ほとんどのもの、企業、人材が手軽に手に入る。

そこで中国はいま、彼らが必要とする全産業にわたる重要技術のリストを作成しており、それらの技術を日本のどの企業が持っているかを調べている。

日本で、世界のいかなる企業にも負けない最高水準の技術や最先端の技術を有しているのは必ずしも大手企業ではない。中堅企業や中小企業が優れた技術で日本の産業基盤を支えている。その中のどの社が、中国が必要とする技術を持っているのかを探し出し、その社に投資して丸々買い上げるのが中国の狙いだ。そして驚くことに、ここに日本の一部の大手商社が介在していると、細川氏が警告する。

それは誰でも知っている日本を代表する大手商社である。大手商社が自らの信用力を利用して、狙いをつけた企業に接近し、中国が買収できるように条件、状況を整えるというのだ。であれば、彼らは日本売りの先兵である。最先端技術こそ日本国の国力の基盤である。それを日本のために守ろうとはせず、商売上の利益を優先するのである。国を売り尽くすのが彼らの商売か。完全に国家意識が欠落している。

ウクライナでは多くの人々が命懸けで国を守る戦いを続けている。日本国政府、大企業、そして日本人全員が、ウクライナから国を愛すること、国を守ることを学ぶべきだろう。そうしなければ、わが国はいとも容易に中国に奪われるだろう。財務省は急ぎ外為法の穴を埋め、経産省は経済安全保障の手立てを徹底せよ。大商社を筆頭に経済界は金儲けよりも国益を考えよ。経団連には反省が必要だろう。国があって初めて国民の生活が成り立つことを意識しなければ、本当に全てを奪われる。

（２０２２年５月５・12日号）

【追記】

中国の対日攻勢は強まるばかりだ。彼らはいまやわが国が高い技術や圧倒的シェアを占める複合機を狙っている。複合機の中核部分には半導体レーザーなど先端技術が凝縮されている。決して中国に奪われてはならない技術のひとつであるが、現状を見ると不安である。この分野で日本企業９社が中国に進出しているのだ。中国の得意技は分断と脅しである。アメとムチを駆使して揺さぶりをかけられれば、日本の複合機メーカーは高性能磁石のメーカーと同じことになる。なぜ日本企業は学ばないのだろうか。

北京には日本商会があり、中国に進出した企業を守り、支える機能を果たすことになっている。

細川昌彦氏の指摘だが、欧州諸国は「在中国欧州連合（ＥＵ）商会」をつくり、ここに情報を集め、分析し、それを共有する。それによって中国の狙いが技術獲得のためであり、技術を獲得した後は、技術を提供した企業は見捨てられることなどを皆が理解することができる。企業への買収工作もこの時点でかなり防げる。ところが日本商会ではそうした情報共有が全くできていないというのだ。

日本企業は中国に進出した同じ分野の他の日本企業を敵視し、シェアを奪われまいとして情報を共有しないのだ。これでは分断されてしまうのは当然だ。中国はたとえばA社に対して「すでにB社やC社とも交渉が進んでいます」などと言って焦らせる。A社は乗り遅れてはならないとして、中国の誘いに乗ってしまう。過去に何度も繰り返し、失敗したパターンをこうして辿るのである。

だが、この数年、変化が生じてきた。過去の事例に学び、互いに情報交換して日本の技術が奪われないように協力しようという動きだ。日本商会がそうした動きの軸となりつつある。

そんな折に、２０２３年3月、北京駐在の日本の製薬企業幹部がスパイ容疑で拘束された。この人物はアステラスの幹部ではあるが、日本商会におけるまとめ役の一人でもあった。この拘束事件は、中国に刃向うような行動をすればこうなるという中国当局による見せしめの可能性が高いのだ。

点から線に変わった中国の日本買収

この数週間、つい視線が向かう地図がある。太平洋を挟んで、右に南北米大陸、左にユーラシア大陸があり、核保有国を赤く塗った地図だ。ロシア、中国、北朝鮮を中心にユーラシア大陸は赤く染まり、北米は米国が赤い色に染まっている。そのまん中、太平洋の左端にポツンとわが国日本が心細げに浮かんでいる。今、世界で一番危険な地域は大西洋・欧州ではなく、太平洋・アジアであり、わが国周辺なのだと実感する。

ウクライナへのロシアの侵略戦争で私たちは日々の戦況報告に気をとられ、世界のパワー・バランスの大変化で日本がどれ程危険な立場にあるかに気がつきにくい。ぼんやりしているわが国には断固とした国防への気概も備えもない。考えは甘く、制度は緩い。米国と協力して、国の命運が懸かる対中戦略の具体策を定め、憲法改正を含めて備えるときだが、そこまでの厳しい認識があるとは思えない。これでは中国が狙うのも当然だろう。

オースティン米国防長官は4月25日、ロシアが二度とウクライナ侵略戦争のようなことができないように、「ロシアの弱体化を望む」と語った。その言葉どおり、米国はロシアを衰退させる意図でウクライナにより深くコミットしつつある。

ウクライナの武器装備を補充、強化するための経済支援は、ロシアが全面的侵略戦争に踏み切った2月24日から4月21日までで30億5000万ドル（約3982億円）に上る。ところが4月28日、バイデン大統領は新たに330億ドル（約4兆3087億円）の追加支援を議会に要請した。2月以降の実績と合わせると総額約4兆7000億円、ロシアの2021年の軍事予算、659億ドル（約8兆6000億円）の半分を超える規模だ。

この侵略戦争で、ウクライナの側に立ち、プーチン氏を憎むのは自然な感情であり、だからこそ米国のウクライナへの肩入れもうなずける。同時にウクライナ戦争がアジアにどんな状況を生み出しつつあるか、日本の立場から憂えざるを得ない。それを象徴するのが日本の危機を表す冒頭の地図なのだ。

米国の弱体化を願い

米国がウクライナ問題に深く関わり、経済資源や軍事資源を投入し続けることを一番喜んでいるのは中国である。彼らの大目標は米国との競争に勝ち、地球上の覇者になることで、敵は米国だ。そのため中国は常に、米国の弱体化を望んできた。ブッシュ（父）大統領の湾岸戦争、ブッシュ（子）大統領のアフガン戦争のとき、中国人は、米国が中東地域でどれだけの力を使い果たすか、それによって米国の国力が落ち、地位がどれだけ脅かされるかに強い関心を持った。

米国の消耗を切望し、戦争の長期化、出来れば泥沼化を彼らは願った。今回も同様であろう。

ウクライナとロシアの戦争が長引いて米軍がより深くコミットし、大規模援助で消耗し疲弊することを望んでいる。アメリカさえ弱体化すれば、アジア太平洋は中国が制覇できる。

そのような展開は日米双方にとって非常に危険で、そもそもバイデン大統領の戦略にも反する。2021年米国はアフガン戦争からの撤退に踏み切った。バイデン氏は、撤退は真の脅威である中国に集中するためだと明言した。しかし米国がウクライナ問題に深く関わりすぎれば、中国に力を集中することなどできない。日本にとっての重大な危機である。だからこそ、ウクライナ戦争で如何に早くロシアの敗北を実現できるのか、日本もわが事として考えなければならない。

地政学的に日米が最も懸念しなければならないのは、中国とロシアが手を結び、ユーラシア大陸を事実上中国が支配することだが、いま起きている事態がまさにその中露連携である。バイデン政権は、最大の脅威である中国への対応に集中もできず、中露連携も阻止できていない。ここで戦略的方向性を失いつつあることが最も懸念される。

一方中国にとって、米欧がウクライナに集中している今は戦略的好機だ。彼らは国力の基本としての軍事力構築を脇目もふらずに進めている。

「人民解放軍（ＰＬＡ）のミサイル部隊と爆撃機は、2030年には中国本土から3200キロメートル以内に位置する850か所の目標に対して2回、1400キロメートル以内であれば4500か所を超える目標を2回攻撃できるようになる」と、米シンクタンク、ハドソン研究所研究員の村野将氏は指摘する。

中国の核・非核両用の戦略ミサイルは日本、台湾双方を射程内にとらえ、楽々と複数回攻撃する能力をあと数年で持つ。太平洋の西の端、日本周辺はすでに核とミサイルの密度が最も高い地域だが、その密度はさらに高くなり危険度も増すのである。

日本侵略の魔の手

バイデン政権が宣言したように、本当の脅威、より手強い敵は中国だ。その中国に最も狙われているのが日本であることは、多くの日本国民がすでに感じとっているはずだ。中国は日本にどのような侵略の手をのばしてくるか。プーチン氏の轍は踏まないだろう。そこで警戒しなければならないのが中国の秘密交渉だ。

4月にソロモン諸島と中国が安全保障協定を結んでいたことが明らかになった。なんとソロモンの国会さえも気づいていなかった。ソロモン議会も気づいていないのであるから、豪州や米国が阻止できなかったのは当然だ。中国はあっという間にソロモン政府中枢を事実上乗っ取ったのである。どれ程の賄賂が渡ったのか。狙いを定めた対象を取り込む中国の手練手管は無尽蔵だ。

日本はソロモン諸島のことを笑えない。7日付産経新聞の宮本雅史編集委員による「国境がなくなる日　洋上風力に触手　日本を丸裸」は、中国が日本の洋上風力発電事業を受注し、日本の電力供給の元を押さえる動きに出ていると警告する。たとえ一部といえども電力の供給源を他国、とりわけ中国に握られることは危険だが、それだけではないと宮本氏は語る。

「たとえば富山県入善町の洋上風力発電事業に中国企業が入ることになりました。発電業者は、発電機を設置する海域の風力、海流、海底の地形、地質などを調査することができます。受注企業は最大30年間、その海域を占有し、調査できるのです」

中国資本による日本の国土買収を20年以上も取材し、日本侵略の魔の手の実態を知る宮本氏はこうも語る。

「森林、水源地、農地などの国土だけでなく、海洋国家日本の、海と海底までが中国資本の手に渡ってしまいかねないのです」

恐ろしい話だ。中国の脅威に立ち向かうには国防力強化だけでは到底足りない。政治家は危機のアンテナを針鼠のように自分の周りに立て巡らし、中国の脅威を米国にも強調せよ。問題を把握し、国土も海も中国に奪われない法整備を実現しなければならない。


（2022年5月19日号）


【追記】

本稿を書いてから1年も経っていない23年春、中国人女性が沖縄県島尻郡の無人島、屋那覇島を買い取っていたことが判明した。沖縄の自衛隊や米軍基地から遠くない島を中国人が買い上げることを、日本の法律は許しているのだ。

それから間もなく日本のエネルギー・安全保障上非常に重要な施設が集っている青森県で上海電力が広大な土地を買っていたことが明らかになった。この事案を暴いたのは加藤康子氏だ。氏は「明治日本の産業革命遺産」の世界遺産登録を実現した人物だ。氏が語った。

「原子力燃料再処理施設のある六ヶ所村の属する上北郡の隣がむつ市です。むつ市では使用済み核燃料の中間貯蔵施設を建設中です。ところがこの施設のまん前の広大な土地が上海電力に買われていたのです」

中間貯蔵施設の前の広大な原野は日本人女性の名前で登記されているが、この土地での事業の申請と認可はＳＭＷ東北という合同会社名でなされている。合同会社は複数の会社がかかわっており、実態把握が難しい。しかしＳＭＷ東北社を辿っていくと、所在地は上海電力の住所に行きつく。彼らはここで風力発電事業を行うことに、書類上はなっている。

風力であれ、太陽光であれ、再生エネルギー事業は固定価格買い取り制度（ＦＩＴ）で守られている。一旦認可を得れば生み出した産業用電力は比較的高く設定された固定価格で20年間ずっと買いとってもらえる。旨味のある商売だ。買い取るのは電力会社だが、そのコストは各家庭の電気料金に再生エネルギーのための賦課金として上乗せされ、全てが国民負担となる。青森県むつ市の事案では、もし上海電力がここで風力発電事業を始めれば、発電した分は全て東北電力が買い取らなければならず、その料金は全て消費者の国民が支払うことになる。

ここでもうひとつ大事なことを忘れてはならない。電気料金は全て上海電力の懐に入るということだ。つまりＦＩＴを利用した再生エネルギー事業では、私たち国民の支払う電気料金がそのまま中国企業を潤す仕組みになっているのである。

上海電力が取得していたのは実はここだけではない。むつ市の陸奥湾に面した海上自衛隊の大湊地方隊の基地近くの一帯も買われていた。登記簿上は日本人が所有し、事業認可はＳＭＷ東北という合同会社で会社の住所は上海電力。全く同じパターンである。

産経新聞編集委員の宮本雅史氏は日本の国土が外資に買われる問題を長年取材してきた。氏は、２０１８年に李克強首相が北海道を訪れたときから中国人の日本の国土買収のパターンが変わってきたと述べる。かつて点として買っていたのが、今は線として買っているというのだ。たとえば、青森県三沢基地に近い、岩手県安比高原のインターナショナルスクール、宮城県仙台空港周辺の土地、仙台市の自衛隊基地付近で計画されている大物流センターというふうに辿っていくと奇妙なものが見えてくると言うのだ。ここに列挙した以外の土地取引で「中国資本」「中国系資本」で括ると、青森から東京まで国道4号線沿いの点と点が1本の線でつながり、その線上に自衛隊の基地や、その基地につながる物流センターの所在が浮上するとも宮本氏は指摘した。

もう一点、氏の指摘で重要なことは、洋上風力発電に関してだった。本稿でも一部触れた点だが、経済産業省及び国土交通省が主導する計画では、再エネ海域利用法に基づいて入札が行われる。その際、公募事業者には海底の資料が全て開示される。その周辺海域の潮流、風向き、海底の地形、地質などだ。以上の情報は応募しただけで入手できる。落札して事業を請け負う事業者だけでなく、応札した事業者全てに情報が開示されるのだ。さらに選定された場合、事業者は区域占有許可を与えられ、30年間にわたってその海域を占有できる。独自に海底調査をすることもできる。

日本列島は洋上風力発電の名の下に、合法的に丸裸にされる仕組みである。

中国企業は民間企業の形であっても中国共産党の支配下にある。中国の企業は全て、親会社としての中国共産党、習近平商店の配下にあることを肝に銘じ、国土の安全保障のために、日本国の政治家はいま迅速に動かなければならない。

タブーなき国防論が拓く「真の独立国」への道

バイデン米大統領は２０２２年5月20日から24日まで韓国と日本を訪れた。両国訪問の最大の意味は、中国の脅威に断固対処するとの米国の国家意志を明確にしたことだろう。ロシアの侵略戦争と中国の脅威への両睨みの中で、日米両首脳は23日に会談した。岸田文雄首相は日本が敵基地攻撃能力も含めて防衛力強化に邁進することを強調した。

続いて行われた記者会見で台湾についての質問にバイデン氏は以下のように答えた。「ウクライナ戦争について我々はプーチンにきっちり償わさせる」「そうしなければ、中国がどんなシグナルを受け取ると思うか。台湾を力で奪おうとするだろう」。

ここまではいつもの質疑応答である。記者からもうひとつ質問が飛んだ。「アメリカはウクライナに軍事介入したくないと考えているが、台湾には、そのときがきたら、軍事介入をして台湾を守るのか」。

バイデン氏は一言「そうだ（Yes）」と返した。記者が「本当に？（You are?）」と問うと、バイデン氏が説明し始めた。

「それが我々の誓約だ。我々は『一つの中国政策』に同意する。しかしそれは中国が力で奪うことは正しくないという考えでもある。力で奪うことは全地域を混乱に陥れる。そしてウクライナで起きたことと同じことになる。それはさらに強い苦しみ（burden that is even stronger）となる」

重要発言である。質問も答えも厳格に詰める形ではなかったために、これをバイデン氏らしい失言だと見る向きもある。だが、バイデン氏は昨年8月19日にも10月21日にも同じことを言った。3度目の今回は前述したように、なぜ軍事介入するのかについて説明をしている。会見では何度も言い間違ったり、国名を間違ったりすることもあった。大統領の能力に多少の不安を感じるのは事実だが、3度にわたる発言の意味は正しく受けとめなければならない。

台湾に対する米国の年来の「曖昧戦略」は「明確戦略」に転換すると見るのが正しいだろう。但し、この点について、米国世論やこの先に控える中間選挙のことを考えれば、強い立場で発言しなければ民主党の勢いが削がれるとの思惑だという指摘もある。恐らくそれは否定できない要素であろう。しかし、わが国はわが国の戦略をバイデン発言に基づいて構築すべきである。米国の誓約を確定させることが日本の国益である。地理的に見れば台湾有事は日本有事に他ならないからだ。

核を使う危険性

中国の海洋戦略の専門家、トシ・ヨシハラ氏は、長射程・超音速ミサイルを大量に使う現代の海戦に、日本の海上自衛隊は勝てないと中国は確信していると指摘する。のみならず、中国は有事の際、在日米軍基地を攻撃することで、西太平洋における米軍基地を全滅させ得ると侮っている、とも言う。まさに、台湾有事は日米同盟の有事だ。米国の軍事介入を大前提として米国と共に台湾を守る戦略を具体的に論じ、備えなければならないゆえんである。

だが台湾の現状は生易しくはない。この戦域で中国は、軍用機、艦艇双方で日米台の総合力を圧倒的に上回る。中国側には約1250基の中距離ミサイルがある。米国は今、中距離ミサイルを猛スピードで作っているが、現時点ではゼロだ。中距離ミサイルに積む戦術核も、中国は「山のように、少なくとも数百発は持っている」と、防衛研究所政策研究部防衛政策研究室長の高橋杉雄氏は語る。

米国も戦術核は数百発の規模で保有していると高橋氏は言うが、それは戦闘機に巡航ミサイルを積み、そこから発射するもので、機動性において中国に劣る。

このような状況の下で、日本はこれまで考えたことのない多くの事柄について考えなければならない。まず、ロシアがウクライナ侵略戦争で核を使う危険性が懸念されていることだ。小野寺五典元防衛大臣は5月の連休中に訪米し、米国要人らからこう言われたそうだ。

「ウクライナ戦で劣勢に陥ったロシアが核を使って形勢逆転をはかったと仮定して、米国はどうすべきか。ウクライナよ、武器などを支援し続けるから頑張れと言って済むのか。米国は核で報復すべきではないのか。仮に報復する場合、我々は単独では決定しない。日本を含む同盟国や当事国に相談する」

小野寺氏は米国で実際に核兵器を戦場で使うか否か、どのように使うかの議論がなされているのに驚いたという。日本の元防衛大臣に対する米国側の発言について、安倍晋三元首相が5月20日の「言論テレビ」で語った。

「米国側の発言、問いの意味をよく考えなければならないと思います。戦術核、小型核であっても瞬時に数千人、場合によっては万を超える人たちを殺害するわけです。その責任を分かち合えと言っているわけです。アメリカがやったのだから、ではないということです。日本に対して拡大抑止、核の傘を貸しているのはそういうことだ、現実から目をそらすなということでもあると思います」

米国側の問いに、日本は答え得るのか。国防の専門家達が語った。

「日本は何も言えないでしょう。言う力もない」（岩田清文元陸上幕僚長）

「相談されたらうろたえるだけでしょう。日本には戦略的思考も核抑止の理論もありませんから」（織田邦男元空将・麗澤大学特別教授）

「その時の総理大臣次第」（高橋杉雄氏）

現在の総理は岸田文雄氏だ。岸田総理は「非核3原則」は絶対にゆるがせにしないと述べる。広島出身の政治家として、「核なき世界を目指し続ける」と強調し、２０２３年、日本が開催国となる先進7か国首脳会議（G7）も広島で開くと発表した。

首相の掲げる理想に反対する人はいないだろう。しかし問題が二つある。まず、「現実を見ること」である。核廃絶を求めるのなら、言葉で言うだけでなく、具体策を示さなければならない。その現実とは、核を含めて軍縮を実現するには、相対峙する二つの勢力の間に、力の均衡がなければならないということだ。核のない日本が、たとえば中国に核をなくしてほしいと言っても意味はない。中国をその気にさせるには日本が中国の核に匹敵する核戦力を持たなければならない。そのときに、初めて中国は日本の主張に耳を傾けるだろう。核戦力の縮小を実現するにはまず均衡、パリティが欠かせない。この現実をおさえなければ核なき世界の実現はただの希望に終わってしまう。

もう一つの問題は、核廃絶までの間、如何にして日本国民と日本を守るのか、これまた具体策で示す責任がある。防衛予算の積み上げは国民・国土を守る手立てのひとつだ。軍事的脅威を受けた場合、自衛隊はどう動くのか、国民はどう行動するのか。全て戦後の日本ではおよそ考えもしなかった事柄だが、政府が先頭に立って皆で考え、守り通す力を築き上げなければならない。

独立した国としての問題提起を

専制独裁者、中国の習近平国家主席が台湾侵略を諦めることはないだろう。この日本の危機に対処する基本は、日本が普通の国のように、国を守るためのあらゆる形の戦いに全力を尽くせるようにすることだ。その第一歩は憲法改正しかない。核についても非核3原則を超えて、2原則、さらに1原則にすることも皆で話し合うべきだ。

バイデン氏は米国の核による拡大抑止の強固さを強調し、日本で語られ始めた核の共有や保有についての主張は受け入れないという姿勢を示した。

2006年に北朝鮮が初めて核実験をした際に、中川昭一氏が日本も核について議論しようと言っただけで、米国務長官、コンドリーザ・ライス氏が急遽来日し、有無を言わさず日本での核の議論を潰した。現在、同じことが起きている。

この不安定な国際情勢の下で、国民と国を守り通す手立ては何か、独立国として何を成し得るのかを模索するのは当然であろう。日本の安全の土台を米国の拡大抑止と非核3原則で担保し、それ以上踏み込むな、議論もするなというのは、日本は究極の事態を考えなくてよいということである。反対に、先述した核使用の可能性については責任を分担せよという姿勢は、日本も究極まで考えよということだ。米国は矛盾している。迷ってもいる。国防についてようやく考え始めようとしている日本側から、独立国としての資質を備えるために問題提起し、米国にも考えてもらう時だ。

米国はよき同盟相手、また協力者としての日本を必要としているはずだ。同盟を支え日本を守り抜くために、日本はより強い国になり、より大きな責任を果たすのがよい。核の議論をすることは核保有に向かうことではない。核を含めてタブーなき国防論を戦わせることによって、日本を守る最善の道を、皆の合意に基づいて模索するということだ。

（２０２２年６月２日号）

【追記】

２０２２年５月20日の「言論テレビ」で、安倍晋三元総理は、日本には継戦能力がない、と凄まじいことを語った。

「継戦能力、ありませんから。ミサイルを撃ち出しますね、ものはあったとしてもですね、中に弾が入っていない」

現役の総理のときは言えなかったことを、安倍元総理は警告として語った。岸田文雄首相が言えないことを代弁した。「台湾有事は日本有事」も同じである。日本国全体として、国民全員がまじめに安倍元総理の警告を受け止めなくてどうするのだ。

日米首脳会談翌日の5月24日に首相官邸でＱｕａｄ（日米豪印）の対面による首脳会合が開かれた。豪州のアンソニー・アルバニージー氏は選挙で新首相に選ばれたばかりだ。選挙と新首相就任式を終えて駆けつけ、政権が交代しても、前首相と同じく、対中で結束することを印象づけた。日米豪印の連携が今後一層大事になっていく。

ウクライナ侵略戦争の陰で南太平洋を狙う中国

これが中国のやり方だ。国際社会の力関係に隙間が生ずればサッと入り込む。勢力拡張のチャンスは決して逃さない。しかし彼らの強引な手法がいつもうまく機能するとは限らない。

王毅国務委員兼外相の南太平洋諸国歴訪を見ての感想である。「似た者同士」のプーチン露大統領と習近平国家主席は「無限の友情」を誓い合ったものの、プーチン氏のウクライナ侵略戦争で情勢は様変わりした。中国は台湾侵攻計画の練り直しを迫られる中、南太平洋の島嶼国に手を伸ばし続けている。

王毅氏が10日間の南太平洋島嶼国訪問で最初に訪れたのは人口70万人余のソロモン諸島である。そこで中国は4月19日、同国と安全保障協定締結を発表した。中国海軍の艦船が定期的にソロモンに寄港し、加えて中国公安警察がソロモンの治安維持のためにソロモン当局を指導し訓練することなどが取り決められた。突然の発表に米豪両国は虚を衝かれた。経緯をふりかえれば中国が綿密な準備を重ねて機会を待っていたことが明らかだ。

ソロモン政府のソガバレ首相が台湾と断交し中国と国交を樹立したのが2019年だった。当時、オーストラリア国営放送（ABC）は、5億ドル（550億円）の支援が中国共産党からソガバレ政権に渡ったと報じた。その時点で中国はすでにソロモン政府のトップを賄賂を含む巨額資金で抱き込んでいた。南太平洋でも最も貧しいソロモンは、わずか550億円で国家の未来を中国に売ったといえる。

南太平洋の島嶼国はどの国も貧しく弱い。南太平洋戦略と南シナ海戦略を較べれば、経済的には南太平洋島嶼国の方がはるかに籠絡し易い。人口も少なく、軍隊は存在しないに等しい。富裕層も限られている。中国得意の現金外交が大きな成果に結びつく余地は大きいのだ。

もうひとつの中国の武器は偽情報拡散の能力である。ソロモン諸島が台湾切り捨てに踏み切ると、ソガバレ首相に反対し、退陣を求めたのがマライタ州の住民だった。彼らが首都ホニアラで行ったデモは暴徒化し放火、略奪事件に発展した。中国共産党は、一連の暴動は豪州、米国、台湾による工作活動だという偽情報を流し続けた。ソロモン政府の要請で豪州政府が小規模の平和維持部隊を送り込んだとき、中国はこれこそ米国が豪州にやらせた「露骨な軍事介入」だと喧伝した。小さな島国での中国メディアの力は絶大である。

南シナ海での成功体験

中国の狙いは島嶼国を米豪から切り離すことだ。今回の歴訪でも王毅氏はキリバスのマーマウ大統領兼外相にこう語っている。

「米国とその仲間は、精力をあくまでも中国の発展を阻止するたくらみに集中させている。その本質は西側以外の力が世界で成功するのを見たくない、発展途上国の団結・協力の強化を見たくないというものだ」「中国は発展途上国との共同発展の実現を急ぎ、手を携えて歴史的不公平をなくすことを願っている」

一帯一路政策でスリランカやパキスタン、ネパール、ミャンマー、ラオスなどを債務の罠に突き落としたことなど、中国も島嶼国も都合よく横に置いてしまうのである。中国の核心的利益維持を支持することは発展途上国（南太平洋島嶼国）を支持することだと、全く筋の通らない主張を中国が展開しても、キリバス、サモア、ニウエなどは「一つの中国の原則を揺るぎなく実行する」「人類運命共同体の構築を断固支持する」などと、熱い言葉を王毅氏に贈るのだ。

オーストラリア戦略政策研究所の「サイバー政策センター」の研究者、ブレイク・ジョンソン氏は、中国はあらゆる機会をとらえて豪州政府の島嶼国への貢献を打ち消そうとしてきたと指摘する。

「中国とソロモンとの安保協定締結は、豪州とソロモン両政府による重要発表と同じ日に発表されました。ソロモン東岸に2隻目の巡視船を配備すること、災害対策のためにラジオネットワークを完成させること、コロナ禍による経済不振緩和のために追加予算を組むことなどを発表するタイミングに、中国はぶつけてきたのです」

偶然かもしれないが、と断りながらもジョンソン氏は、安保協定締結という衝撃的ニュースにより、豪州・ソロモン両政府によるソロモン国民のための善意のプロジェクトはほとんど注目されることなく吹き飛んだと指摘する。

中国共産党が狙うのは南シナ海での成功体験の再現であろうか。南太平洋にも中国の拠点を築き、勢力圏維持の軍事的インフラとして確立したいのであろう。加えて豊かな海底・漁業資源の確保も、14億人を抱える中国には重要な要素のはずだ。

国際情勢を見れば、習近平国家主席が好機到来と判断したとしてもおかしくはない。ロシアの暴虐は米欧の視線をウクライナ戦争に引きつけ続ける。その分、南太平洋における中国の動きへの警戒は緩みがちだ。

日本は質のよい支援で対抗せよ

加えて米国はトランプ大統領からバイデン大統領に代わった。日本は安倍晋三・菅義偉両首相から岸田文雄首相に、豪州もモリソン首相からアルバニージー首相に代わった。自分たちへの圧力はやわらぎ始めたと、中国が考える余地はあるだろう。

5月30日、王氏は島嶼国10か国の外相らとオンラインで「中国・太平洋島嶼国外相会合」を開いた。本来、この会合で10か国全ての安全保障協定が締結されるはずだったのだが、土壇場で見送られた。ミクロネシア連邦は確かに事前に「新たな冷戦を招く」として反対を表明していた。とはいえ、中国が自らの提案を棚上げするのは、面子(めんつ)を重んずる国にしては異例のことだ。

中国側のこの異例の動きの理由は何か。中国が10か国をまとめきれなかったということではないか。次のような見方もある。米中首脳会談の開催を望むバイデン政権の意向に応えたいために習氏が南太平洋での中国の動きを控えたというのだ。国家安全保障担当大統領補佐官のジェイク・サリバン氏が5月19日、韓国に向かう大統領専用機内で、「今後数週間以内にバイデン大統領と習主席が再び会話しても私は驚かない」と語ったこともこの見方を支えている。

米中首脳が会談する可能性により、中国の南太平洋における拡張路線が少しだけ緩和されたからといって喜ぶ理由はない。中国は南太平洋まで出てきた。さらに出てくるのは間違いない。日本も米豪もそれを阻止しなければ大変なことになる。それが事実だ。

南太平洋島嶼国の対中感情は必ずしもよくはない。たとえばソロモンでは、先述のようにソガバレ首相の親中政策に強い反対がある。２０２３年の大統領選挙が正しく行われるなら、政権交代が起きるだろうと見られている。その場合、台湾との断交が取り消される可能性は十分にある。であれば、日本は、国際的な選挙監視団結成を提唱してもよいだろう。

南太平洋島嶼国の重大関心事は気候変動であり、反核である。猛烈な勢いで核兵器生産に励み、気候変動や環境問題への配慮など二の次の中国の評判は決してよくない。そんな中国に負けない、質のよい支援ができる日本の能力を活用するときだ。

（２０２２年6月9日号）

【追記】

中国がソロモン諸島と安全保障協定を結んだ時期、中国問題専門家から興味深い話を聞いた。中国はもはや米国や西側諸国から何を言われようと意に介さなくなったと実感するというのだ。だとすれば、中国が米国に配慮して島嶼国10か国との安保協定締結を見送ったとの見方は根拠を失う。それよりも北京の傍若無人さは北京冬季五輪開幕日の習・プーチン会談でも同じだと感ずる。

習氏は21世紀のこの時代に往時の冊封体制を再現しようとしているのだ。習氏は部下たちに

「中国が尊敬され愛される国になるよう働け」と檄を飛ばしている。中国の冊封に入れば経済も統治も外交もうまくいく――そうなるような中国政府になれというわけだ。しかし問題は、そういう展開にならない場合は、つまり相手国が中国の属国の地位に入りたがらない場合は戦狼外交、情報工作で酷い目に遭わせてやるということでもある。

習氏以下、中国共産党幹部らはこの「アメとムチ」戦略に沿って動いている。習氏自身も尊敬され愛される国になるために努力はしている。たとえばコロナ禍の下で、氏は年80回もテレビ及び電話会談をこなしていると、日中外交の専門家は指摘する。相手は貧しいアフリカ諸国やこれまた貧しい南半球の途上国だ。習氏がそれだけ活発に外交活動をすれば、外相以下部下たちはもっと必死に行動する。

なぜ貧しく弱い島嶼国は中国に傾くのか。この点についてわが国も米豪も反省すべきことがある。習氏が熱心な外交を展開してきたのとは対照的に、米大統領、豪州首相、わが国首相らはほとんど何もしていないのである。王毅氏がソロモンを訪ねたが、米国はそこに23年2月まで大使館さえ置いていなかった。93年に大使館を閉鎖して以来、米国は約30年間、空白の時を過ごしたのだ。豪州はソロモンの動きに関心はあったが、国内選挙でそれどころではなかった。

こちら陣営が怠ってきたことを、中国は地道にやってきた。カネの力に加えてこういう要素もソロモンの転向の背景にあった。巻き返さなければならないが、その第一歩はこちら陣営の落ち度を認識することであろう。

さてその後、南太平洋で思わぬ事態が発生した。王毅国務委員兼外相とソロモンのソガバレ首相が結んだ安全保障協定が、発表まで全く秘密にされ、他の南太平洋の国々にとっては寝耳に水だったために強い反発が起きたのだ。サモアの首相、フィアメ・ナオミ・マタアファ氏は中国の行動に強く抗議した。

「ある国が資産を持っていて、ある国に助力してくれたからと言って、それを好機としてその国の公安警察が入ってくるのか。このようなことはソロモンに限って起きたのかもしれない。しかし、それが容易に他国に広がらないように注視しなければならない」

元々、中国の動きは新たな冷戦を招くとして反対していたミクロネシアのデイビッド・パヌエロ大統領は、「中国の動きはより大きな目的を隠すための曇りガラスだ。中国は我々南太平洋の安全保障をコントロールすることを目指している」という厳しい中国非難の手紙を南太平洋の国々に送って警戒を呼びかけた。

その結果、フィジーはこれまで何年間か続いていた中国当局による公安警察トレーニング制度を直ちに停止した。ソロモンのツラギ島に中国が75年間のリース契約を設定しようとしたこと、キリバスのカントン島に滑走路を建設しようと動いていたことなども明らかになった。

中国への警戒心が高まった今、米豪ニュージーランドなどへの信頼は逆に強まった。ブリンケン米国務長官が5月21日、パプアニューギニアを訪れ安全保障に関する協定を二つ、結んだ。詳細はまだ発表されていないが米国とフィリピンの協定とほぼ同じ内容だと報じられた。有事のとき、米軍がパプアニューギニアの基地に展開できるというのが最大のポイントである。また米コーストガードがパプアニューギニアの巡視船に同乗してパトロールを助けることになった。

中国の一部の権力者を取り込んで秘密協議で決定してしまうやり方が拒否され始めたことは喜

ばしいことだ。それでも中国の影響力はまだ米国に劣らず大きい。地政学上重要な島嶼国との外交を大事にしなければならない。

経済安全保障で中国の覇道を阻め

米国切っての中国問題専門家、マイケル・ピルズベリー氏が著書『China 2049』（日経ＢＰ）で、自分は中国に騙されていたと悔やんだ。氏自身も、氏を重用した米国政府もいまや中国心酔の熱からさめ、現実に目醒めた。彼らは矢継ぎ早に対策を打ち出した。軍事力増強は無論、貿易、技術移転等の制限で中国を締めつける枠組みを強力に推進中だ。

日本はどうか。前国家安全保障局長、北村滋氏は、近著『経済安全保障　異形の大国、中国を直視せよ』（中央公論新社）で、わが国の安全保障意識の低さについてこう記した。

「我が国の行政法大系の大宗をなす事業法。政府が保安、育成等の観点から民間事業を規制する一連の法律群だ。ここには安全保障の観点はない」

わが国の法体系に安全保障の考えが全くないというのだ。経済大国でありながら国防を米国に頼りきりで恥じないのは、国法の根本に自国防衛の思想がないことにも起因するのか。国防意識を欠いたまま、経済肥大化の道を走ってきた日本だからこそ、世界を動かす鍵となった「経済安全保障」の意味も、その重大性もよく理解できないのではないか。

北村氏は経済安全保障を「経済を、安全保障政策の力の資源として利用する政策（中略）分かりやすく言えば経済的措置を武器の代わりに使うという攻撃的又は能動的側面」と説明する。

右の考え方を正確に理解できれば、どのようなモノや技術を潜在的敵国に移転してはならないかを判断できるはずだ。が、現状を見るとその危機感が余りに薄い。核、ミサイル、侵略の意図の全てを有する中国、ロシア、北朝鮮などに対しても警戒感がなさすぎる。

福田恆存は国家をフィクションだと喝破した。国民が「守り通す」と決意し、日々守る努力を重ねなければ潰えてしまう脆弱な存在が国家だという意味だ。福田の国家論に基づけば、現在の日本人の国家に対する考え方や姿勢が続けば、やがて日本国は膨張欲の強い中国のような国に呑み込まれ、消滅するだろう。日本人の国を守る意識がどれほど希薄か、北村氏の著書から、防衛庁（現在の防衛省）元技官の事例を拾ってみる。

売国行為の動機

元技官は2002年、防衛庁技術研究本部主任研究官で定年退職した。在職中に、潜水艦の船体に使われる「高張力鋼」と呼ばれる特殊鋼材やその加工に関する技術報告書をコピーし、第三者を介して中国側に渡した。日本の潜水艦技術、とりわけ特殊鋼材に関する技術は世界屈指のレベルにある。高張力鋼情報の漏洩は、潜水艦の潜航深度や、魚雷からの攻撃でどの程度破壊されるかといった弱点を教えるばかりか、「敵」の潜水艦建造に利用される。

元技官は、資料は最終的に中国側に渡ると思っていたことを認めたが、わかっていながら飲食代欲しさでスパイになった。

売国行為の動機が飲食代かと腹が立つ。しかし警察庁外事情報部でスパイを取り締まってきた北村氏は言うのだ。「実は飲食が一番安上がりな手なのです。人間とはそういうものなのです」。

スパイたちはかつて、命懸けで情報受け渡しの現場を押さえられないように工夫した。ところが技術の発達で状況は一変した。東芝子会社の社員は、ロシアの対外情報庁（ＳＶＲ）の先端技術獲得部門所属のスパイ、サベリエフと居酒屋やファストフード店で会い、東芝の半導体やその製造工程に関する情報を渡していた。ある夜、彼らは居酒屋を出て駅まで並んで歩いたという。

北村氏は彼らの「無警戒」な行動に「正直面食らった」。

スパイとその協力者が堂々と肩を並べて歩く。こんな緩みきった事象は、いくら技術が発達して情報受け渡しの形態が変わったからといって、他国ではあり得ないことだ。スパイ防止法もなく、罪も非常に軽いスパイ天国、日本ならではの現象であろう。現にこのケースでは、事件が発覚するとサベリエフはロシアに逃げ帰り、東芝子会社の社員は「起訴猶予処分」となった。日本にスパイ防止法が、今すぐに、必要なゆえんだ。

米国の孤立化が大目標

これらの事例は、実は本書の入り口にすぎない。本書の真髄は習近平国家主席の下で、異形の大国中国がどのような戦略に沿って前進しつつあるかを鋭く描き出した点にある。

北村氏はまず、中国人民大学教授、王義桅（ワンイーウェイ）氏の「一帯一路」構想についての考え方に着目する。それによると、「一帯一路」は、中国を陸上と海上に同時に進出させることにより、従来、ハートランド（大陸の中心地域）に依拠した文明を陸海兼備の文明に変質させ、中国文明に内生的変化を生じさせるというのだ。

これまでは海洋国家が先行的に発展し、経済や文明の流れは沿岸から内陸に向かい、それが「東洋は西洋に従属し、農村は都市に従属し、陸地は海洋に従属する」という負の効果を生み、国際秩序の「西洋中心論」をもたらしたと、王氏は説く。

しかし、習近平氏の唱える一帯一路は、このような従来の世界秩序を再編することになると王氏は考えているというのだ。中国とロシアを含む欧州の連合を通じて、ユーラシア大陸を世界文明の中心に回帰させれば、米国は「孤島」の地位に落とされ、孤立化する。それこそが中国の大目標だ。王氏のユーラシア大陸論の視点はそこに辿り着くという北村氏の見方は正しいだろう。

ユーラシア大陸の決定的重要性について、北村氏はニコラス・スパイクマンによる第二次世界大戦中の研究『平和の地政学』を紹介している。

「米国の2・5倍の広さと10倍の人口（当時）を持つユーラシア大陸全体の潜在力は将来アメリカを圧倒する可能性がある」「アメリカが統一されたユーラシアのリムランド（注：中国を含むユーラシア大陸の沿海部）に直面することになれば、強力な勢力による包囲状態から逃れられないことになってしまう。よって平時・戦時を問わず、アメリカは、旧世界のパワーの中心が自分たちの利益に対して敵対的な同盟などによって統一されるのを防ぐことを目指さなければならない」

米カーター政権の国家安全保障担当大統領補佐官、ブレジンスキーは25年前にユーラシア大陸の重要性を喝破したが、それより50年以上も前にスパイクマンが同様の警告を発していた。

中国がユーラシア大陸を統合すれば日本こそ危うい。中国の戦略は、「海洋民主主義国家が協力して、この地域の自由貿易や法の支配を進める」という日本主導の「自由で開かれたインド太平洋」（ＦＯＩＰ）や、「日米豪印」（Ｑｕａｄ）協力体制の思想とは真正面から対立する。

根本的に相容れない専制独裁体制の新世界秩序構築に抗する手段が経済安全保障だ。北村氏は孫子の兵法をも踏まえて本書を上梓した。氏の書を心して読むのが国益であろう。

（２０２２年6月23日号）

第四章　彼らに誤解させてはならない

ペロシ訪台で日本が問われる覚悟

外交上も安全保障上も難しい問題を引き起こすことにはなったが、米下院議長、ナンシー・ペロシ氏の決断を評価する。また、事の経緯を振りかえれば、中国の圧力を受けたからといって、氏に訪台を取りやめる選択肢は残されていなかったのも事実だろう。

私がこの原稿を書いているのは2022年8月2日である。ペロシ氏は今夜、台北に入り、3日に蔡英文総統と会談する。米国の専門家や政治家の間で賛否が分かれる中での訪台だが、氏の行動は米国の台湾政策の行方を明確に決定づけ、わが国の外交、安全保障政策にも必然的に決定的な影響を与えるだろう。

米国は安倍元総理が提言した通り、台湾に対する曖昧戦略を放棄して、有事の際には台湾防衛の柱となる意思を示さざるを得ないことになる。そして日本は米国と共に台湾擁護の方針を明らかにしなければならなくなるだろう。世界の在り方を中国の好きなようにはさせないという国家意思に基づいて日米台が結束して戦う態勢を築き上げる方向にはずみがつくだろう。

ウクライナ侵略戦争以降の米中間の対立を振りかえれば、米中の力関係の概容が浮かび上がる。ウクライナ侵略を続けるロシア大統領のプーチン氏を、習近平氏はロシア産原油の輸入をふやすことなどで経済的に支えてはいるが、軍事的支援には踏み込んでいない。2月の北京五輪開幕直前の中露首脳会談で「限りない友情と協力」を謳い上げたにも拘わらず、プーチン氏の軍事援助要請に、習氏は応えていない。これは米国政府も明確に認めている点だ。

ここまできて、なぜ中国はロシアを軍事的に支援しないのか。外交戦略を専門とする田久保忠衛氏は、「米国の非常に強い圧力ゆえ」だとしてこう語る。

「中国には現在アメリカと四つに組む力がないのです。習近平体制は盤石だと言われていますが、弱さもある。アメリカと事を構える状況にはないでしょう」

習政権の孤立感

ブリンケン米国務長官と王毅中国外相は7月9日、インドネシアで開かれたG20（20か国・地域外相会合）後に5時間以上を費やして会談した。詳細は明らかにされていないが、ここで米国側は中国にロシアへの肩入れについて強く警告したと思われる。ロシアに対する軍事的支援は絶対に看過しない、そのようなことがあればアメリカは中国への追加制裁を断行し、中国経済をさらに減速させる。このような内容だったのではないか。

それに先立つ6月12日、中国国防相の魏鳳和氏はシンガポールで行われた「アジア安全保障会議」で米国防長官のオースティン氏に激しく反発した。オースティン氏はその前日、「自由で開かれたインド太平洋」（ＦＯＩＰ）が米国の大戦略の肝だと語っていた。

プーチン氏の侵略戦争については「大国がその帝国主義的欲望を平和志向の近隣諸国の権利に優先させるとき」、このような許されざる惨禍が起きると非難した。名指しこそしていないが、この非難は中国にも向けられている。

米国はその強大な力と堅い意志で断固として自由と民主の世界を守ると語ったオースティン氏に、魏氏は「中国への中傷（smearing）だ」と以下のように激しく反論した。

ＦＯＩＰは「自由」と「開放性」の名の下で排他的小グループを形成して中国に対立するものだ、台湾は何よりも第一に、中国の領土だ、独立を目論む者にはロクなことがない。中国は台湾については最後まで戦い抜く、外国の介入勢力は必ず失敗すると、氏は昂ぶった様子で中国年来の主張を繰り返した。

オースティン氏の断固とした内容ながら冷静な演説に較べて、魏氏はいきり立っていた。この感情的な反応は魏氏にとどまらず、現在の習近平指導部の傾向ではないか。習政権が全体として理性的というよりも感情的な印象を与えるのはなぜだろうか。習政権の感じている孤立感と関係はあるのか。

国連での投票行動から判断すると、西側のＧ７と共に行動する国は約90か国だ。必ず中露の側に立つのが約40か国。中間にいるのが約60か国と見てよい。数だけ見れば中国も決して孤独なわけではない。しかし、中国は不安なのではないか。経済力も軍事力も備えている有力先進国はおよそ皆、中露と対立状況にある。中国に従う国々には貧しい発展途上国が多い。軍事力と経済力で縛られている国も少なくない。中国の孤立感は、自分たちは本当のところ、真に尊敬されてもおらず愛されてもいないという自覚から生まれているのではないか。

習氏は7月28日、バイデン米大統領との2時間17分にわたる電話会談で台湾問題に関して「火遊びは身を焼くことになる」と発言した。習氏の金正恩化が始まっている。金正恩氏まがいの脅しを口にする国家主席を見習って、中国外務省や軍も異常なほど強気である。

アメリカは台湾を守る

ペロシ氏の訪台計画の情報が伝えられるや、中国外務省は「中国軍は決して座視することなく、必ず断固たる対抗措置を取る」と警告した。人民解放軍（PLA）は東シナ海・南シナ海の5か所で軍事演習を開始した。7月30日には台湾対岸の福建省の、台湾に最も近い平潭海域で実弾演習を行った。8月1日にはPLA東部戦区が「陣営を整えて待ち構えている」とする約2分半の動画を公開した。動画では洋上に展開する部隊や、ミサイルを標的に命中させる場面が強調されていた。

ペロシ氏の訪台がどのような顚末に至るかは予想できないが、台湾を巡る米中間の緊張は高まり続ける。その中で日本がどうしても学ばなければならないことがある。それは中国の圧力に屈してはならないということだ。ペロシ氏は国外に飛んで台湾を訪れた。靖国神社は日本国内にある。にも拘わらず、国内ですら日本国首相がどこに行くのか行かないのか自ら決められず、祖国に命を捧げた先人たちに尊崇の想いさえ捧げられない国であってはならない。中国の脅しに、屈してはならない。

その上で台湾危機がいよいよ身近に迫ったことをはっきり認識すべきだ。先にも触れたように、バイデン政権はペロシ氏訪台でこれまでの曖昧戦略を変えてアメリカは台湾を守ると明確に打ち出し、台湾に対する安全保障上の援助をさらに手厚くせざるを得ないだろう。

習氏の台湾侵攻は18か月以内にもあり得ると、米「ウォール・ストリート・ジャーナル」紙が社説で言及した。台湾有事は１００％、日本有事だ。台湾を守ることはわが国を守ることだ。そのことを肝に銘じて、憲法改正とＧＤＰ比２％の防衛費を急ぎ実現することだ。準備が間に合わなければ日本は消滅の道に落とされていく。

（２０２２年８月11・18日号）

「台湾有事」最前線　与那国町長の訴え

　中国人民解放軍（ＰＬＡ）は８月30日から９月５日まで、ロシア軍との合同軍事演習をロシア極東地域で行うと発表した。このことで思い出すのが２０２２年５月24日、中露両軍が展開した13時間にわたる合同軍事飛行だ。

　それは東京で日米豪印（Ｑｕａｄ）首脳会合が行われている最中に決行された。前日には岸田文雄首相とバイデン大統領が首脳会談を行い、東シナ海や南シナ海における中国の力による現状変更に強く反対し、台湾海峡の平和と安定を重視するとして警告を発した。

　日米両国が中国に対する厳しい共同声明を発表したタイミングで、中露両軍は戦略爆撃機計６機を日本海、東シナ海、西太平洋上で13時間も共同飛行させた。彼らが初めて日本周辺を共同飛行したのは２０１９年７月だった。以来20年12月、21年11月と続き、今回は４回目だ。元空将の織田邦男氏が解説した。

「中露は、日本や米国にＱｕａｄの動きを許さないぞ、と警告しているのです。昨年10月、中露が軍艦10隻で日本列島をほぼ一周したときと同じで、力を誇示して政治的に脅迫するのです。軍事演習は繰り返すことに意味があります。反復によって連携の練度が上がります。8月末からの合同演習で彼らの作戦はさらに相互運用性が高まると思います」

中露による8月末からの演習は、22日からの米韓合同演習「乙支（ウルチ）フリーダムシールド」（自由の盾演習）への牽制でもあろう。日本が注目すべき点は中露の演習に北朝鮮が参加するか否かだ。

「1990年以降、中国は戦闘機や潜水艦をロシアから大量に輸入し始めました。ロシアは中国への最大の武器装備供給国です。中露の演習に北朝鮮が参加するような事態は日本の悪夢です。中露の軍事行動に合わせて北朝鮮が弾道ミサイルを発射する。これこそわが国が最も懸念する3正面事態です」と、織田氏。

沖縄県知事の呆れた発言

日本を取り巻く軍事的危機は本当に厳しい。そのことを岸田首相は認識しているだろうか。8月4日、中国は米下院議長のナンシー・ペロシ氏の台湾訪問への報復として、台湾を取り囲む六つの海域で激しい軍事演習を行った。その烈しさと規模を、専門家は台湾侵攻の予行演習だと喝破した。その中で中国軍はわが国の排他的経済水域（EEZ）にミサイル5発を撃ち込んだ。にも拘わらず、岸田首相自身はその日、抗議もせず、国家安全保障会議も開かなかった。

ミサイルが撃ち込まれたのはわが国最西端の与那国島からわずか80キロほどの海域だった。この種の攻撃を受ければ、紛争や戦争が起きてもおかしくない。だが岸田首相が中国のミサイル攻撃に抗議する会見を開いたのは一夜明けてペロシ氏と会談してからだった。こんな油断と無関心さを見せるようでは、中国は日本与し易しと侮るだろう。中国に誤解させ、つけこまれること必定である。

だが、ご本人にはそんな批判は届いていないようだ。8月10日の内閣改造で岸田氏は語っている。「有事に対応する政策断行内閣」だと。強い言葉を使っているが、足下を見ると対策はとられていない。有事対応策を最も切実に必要としているのは日本最西端の町、与那国だ。町の住民は約1600人、町長の糸数健一氏は有事対応とは住民を島外に避難させることだと強調する。

「国は国民保護法でさまざまな状況を想定しています。住民に避難を指示できるのは、武力攻撃事態が認定されてからで、軍事侵攻が始まる段階です。それでは遅すぎます。切羽詰まった状況下で住民に避難を指示できるといっても、島には地下壕もありません。住民を島に残しておくとは危険すぎます。どうすればよいのか。県にも国にも解決策を求めましたが回答はありません」

8月19日の金曜日、玉城デニー沖縄県知事は知事選を前に与那国島を訪れた。そこで糸数氏は「台湾有事は日本有事、沖縄有事だ。住民を危機の中でどう守るべきか、県に問い合わせても回答が得られない」と訴えた。すると玉城知事はこう言ったという。

「この件は世界中のウチナンチュー（沖縄人）に呼びかけて、どの国とも仲よくするのが大事だ」

答えになっていない。糸数氏は玉城氏にさらに訴えた。

「台湾の花蓮市と与那国は姉妹都市で今年は提携40年目だ。あらゆる意味で日台交流に協力したい」

すると玉城氏は「沖縄県は福建省と友好都市だ」と回答した。つまり、台湾よりも福建省、中国大陸の方が重要だと言っているのだ。

「中国によって沖縄、とりわけ与那国をはじめとする小さな島々が危機に直面していることへの理解がないのです。こんな状況ですからいざというとき、1600人をどう守るか、国に問い合わせると、県を通してくれと言う。与那国は現実の危機に直面しているのです。そのことを分かってほしい」

糸数氏の訴えはもっともだ。

町民避難の目途すら立たない

住民保護は地方自治体が主導して具体策をつくらなければならない。県も国も頼れない状況下、与那国町がいまできることは何なのか。糸数氏は有事の際、島民の集合場所3か所はこれまでの防災訓練等で決まっているという。しかしそこから先は全て未定である。

「あくまでも仮定の話ですが、大型機の離着陸が可能な長い滑走路をもつ下地島に住民を避難させるとして、現在の定期便は一度に運べる能力は50人です。島民全員の避難には30回以上飛んでもらわないといけません。しかも極めて短時間にやり遂げないとならない」

そんなことは可能なのかと糸数氏は自問する。住民の島外避難と入れ替えに自衛隊が島に入ることも必要だろう。しかし、それこそ国の決定事項で、与那国町は関与できない。住民避難の課題さえ県とも国ともまともな話し合いができていない段階で、町長の悩みは深い。これが日本の実態なのである。糸数氏はいま、町民避難のための基金の設立さえ考えているという。

「有事の際、島民をまとめてどこかに避難させる目途がつかない以上、町長としては、危険が迫ったら早めに家族や親戚のいる所に一時的に身を寄せて下さいと言うしかない。そのために飛行機代や当座の出費として一人100万円支給すれば何とかなるのではないか。1600人で16億円、そのような基金も用意して、とにかく住民を守らなければと考え始めています」

台湾からわずか111キロ、与那国島は台湾有事の際、間違いなく最も危険な島のひとつになる。その島で町長がこんな悩みを抱えているのだ。中露の力による現状変更は止まらない。台湾有事の危険性も高まる一方だ。「有事に対応する政策断行内閣」と宣言した岸田氏よ、首相として有事対応の本気度を見せよ。

（2022年9月1日号）

【追記】

与那国町は2023年4月7日、有事に当たっては全町民を1日で島外に避難させる具体的情報を発表した。対象は全町民約1700人と観光客を入れて1778人と設定した。

島には公民館が三つある。全島は九つの組に分かれており、「組」単位での行動を基本とする。ひとつの組は200人前後で、皆顔見知りだ。全住民はまず、1日で石垣市に逃れ、その後、九州各県に避難するという。海路は福山海運の「フェリーよなくに」、壱岐・対馬フェリーの「みかさ」を1日2便で運航する。空路は琉球エアコミューターの航空機2機を1日11便飛ばす。11便で260世帯520人を運ぶ。

国からも県からも現実的な支援を受けることができないでいる日本最西端の島の人々の苦悩を政府も県ももっと真剣に受け止め緊急時の避難態勢作りを支えなければならない。早急に取り組みを始めなければ間に合わなくなる。政府が危機対応を形にして示すことが現地の人々の自衛隊と国への信頼に結び付くはずだ。それなしには、また沖縄が捨て石になるという想いを人々は抱くだろう。

２０２３年６月17〜18日、沖縄県石垣市と与那国町を取材した。中山義隆市長、糸数健一町長をはじめ島の人々は台湾有事はまさに沖縄有事だという強い危機感を抱いていた。この二つの自治体には自衛隊が駐屯しており、地元との連携は非常にスムーズだった。但し、県全体の取り組みは玉城デニー知事の下では無理だろう。駐屯する自衛隊の規模も役割も顕著に拡大すべきであり、それはこれからの課題として急ぎ作業をしなければならない。

自衛隊法改正が危機対応の前提だ

ナンシー・ペロシ米下院議長の台湾訪問を機に、台湾を巡る軍事情勢が大きく変化した。中国軍機はほぼ連日、台湾海峡の中間線を越えて飛行し威嚇を続ける。中国に近い台湾の離島、金門島と馬祖島には中国軍の無人機（ドローン）が侵入を続ける。台湾側は遂に9月1日、中国の無人機を撃ち落とした。台湾情勢は確実に緊張激化の方向に進んでいる。

また、ロシアが極東で行う4年に一度の軍事訓練、「ボストーク２０２２」では中露両軍が北海道沖の日本海で実射訓練をした。台湾有事のとき、ロシアは北方領土や北海道周辺で軍事行動を展開し、日本が南西諸島と台湾に集中できないように、力を分散させる戦略である。

危機が迫るいま、有事で押し潰されないように自衛力を強め、理に適った軍事行動をとれるように自衛隊法の欠陥を正して部隊行動基準（ＲＯＥ）を定めることが急がれる。元空将の織田邦男氏が、空における軍事的緊張の危険性について次のように警告した。

日本も中国もどの国の空軍も戦闘機にはミサイルを搭載し、機関砲を装備して飛ぶ。フル装備の戦闘機同士がミサイルの射程圏内で遭遇する場合、明確なルールに従って行動しなければ空中衝突やミサイル発射という重大事に至りかねない。地上や海上とは異なり、戦闘機の動きは超高速で、危機は瞬時に有事に発展する。あらゆる意味で一触即発の危険に満ちているのが空である。

にもかかわらず、日本には危機をエスカレートさせないための法的整備がない、つまりＲＯＥがないと、織田氏は憂える。

陸も海も同様の不備に直面している。法律の土台になっている憲法が、日本国は軍事力（戦力）を持ってはならないと規定し、自衛隊を軍隊ではなく警察権の範疇にいれていることが元凶である。憲法は、国民、国土、領海、領空を守るにしても、力の行使は最小限にとどめ、最後の最後になっても軍事的手段はとらないとする考え方で作られている。それゆえに有事対応の法律が整備されていないのは当然であろう。前国家安全保障局長、北村滋氏の、わが国の法体系には安全保障の考え方が見事に欠落しているという指摘を思い出す。

軍と警察の大きな違い

その結果、台湾・日本有事のとき、与那国、宮古、下地、石垣などの沖縄の島々の住民避難は「武力攻撃事態」が認定されてからようやく指示が出せる状況だ。それでは遅すぎて住民は命の危険に晒される。

なぜもっと早めに武力攻撃事態を宣言できないのかという疑問は当然だ。元陸上幕僚長の岩田清文氏は、これを国レベルで考えると全く別の様相が見えてくると語る。

「もし日本政府が沖縄・台湾を巡る情勢が武力攻撃事態に至ったと認定すれば、中国はこれを敵対的宣言と受けとめ事態がエスカレートしかねません。その場合、中国在住の邦人約10万人は人質にされ、日本企業の資産も凍結されかねない。国民と企業を守るために武力攻撃事態の認定が出来ないという矛盾に陥るのです」

ならば、宣戦布告ととられるような宣言を出さずとも、眼前の状況判断に基づいて住民避難を指示できるようにするのが政治であり、通常の軍の法体系であろう。しかし、日本国の法律はこのような臨機応変の判断を自衛隊には許さない。

これは軍のおよそ全てを否定する憲法の精神から生まれた悪しき結果である。前述のように反軍思想に貫かれている憲法で自衛隊は軍隊でなく警察法の体系下に置かれている。軍と警察の大きな違いはネガティブ・リストとポジティブ・リストである。日本を除く国々では軍はネガティブ・リストに基づいて行動する。これはしてはならないことのリストだ。非戦闘員を殺してはならない、学校や病院を攻撃してはならない、捕虜を虐待してはならないなどがその典型例だ。軍隊はこのネガティブ・リストを守ったうえで、状況に応じて司令官の判断で最善の方法をとって使命を達成する。

一方、警察はポジティブ・リストにあたる警察官職務執行法によって、してよいことを法律として明記している。逆に言えば、リストにないことは一切してはならないのだ。

有事が迫ったとしても現場判断で住民に避難指示ができないのはこのポジティブ・リスト、つまり警察ルールゆえだ。政府が武力攻撃を認定して初めて、法制化されたルールに従って住民への退避の指示が許される。自衛隊も国際社会の軍と同様、ネガティブ・リストを行動基準とするのがよいのだが、それができていない。繰り返すが元凶は憲法だ。織田氏が語る。

「どの国のどの軍隊も、いつでも命令一下、自衛権行使の権限を与えられています。ただ、軍がやたらに軍事行動に走らないように制御するＲＯＥがあり、ＲＯＥが厳守されているかを監視するのが政治の役割です。日本は命令を下すための法律論議が複雑で、命令が下ってからはＲＯＥのかわりに、警察法に基づくポジティブ・リストで自衛隊を縛っているのです」

ひたすら逃げるしかなかった空自機

全てが流動的になる有事のとき、現場でとるべき最善の行動を、永田町で作った法律で時々刻々に、的確に把握し対応するのは困難だ。いま迫りつつある危機に現行法のままの体制で対応すれば、岩田氏の指摘のように住民避難のための宣言が逆に事態をエスカレートさせかねない。

この本末転倒を避けるためのルールがＲＯＥなのである。ＲＯＥの設定によって、実は自衛隊員の直面する危機はより適切に管理され、結果として隊員の命も守られることになる。織田氏が２０１６年に、東シナ海上空で発生した危機について語った。

「当時、海上では日米印の共同軍事訓練が進行中で、海上の動きに呼応するように中国人民解放軍（ＰＬＡ）の戦闘機が南下してきたのです。当然、航空自衛隊はスクランブルをかけました。それに対して中国機が突然挑発行動を取った。空自機をミサイル標的としてロックオンし、空自機は撃墜されかねない危機に陥りました」

他国の空軍ならＲＯＥに基づいて空中戦（ドッグファイト）で逆転し、相手の戦闘機にミサイルをロックオンできる位置をとることなどが可能だ。しかし、日本国にはそれがない。結果として空自機はひたすら逃げるしかなかった。

「ミサイルの目眩ましになるフレアを出しながら、一挙に何万フィートも降下するという命がけの危機回避行動でベテランの空自パイロットはようやく逃げきりました。けれど状況をふりかえれば、撃墜され、危機がエスカレートして日中紛争が起きてもおかしくなかったと思います」

緊張が高まる今だからこそ、危機対応は現場の状況を踏まえなければならない。現行の法の隙間を埋めるために、どの国の軍にもあるＲＯＥの設定が急がれる。諸悪の根源である憲法の改正は言うまでもない。

（２０２２年9月15日号）

習独裁体制「第3期人事」の読み方

２０２２年10月22日に閉幕した中国共産党大会、その翌日に開かれた第20期中央委員会第１回総会（１中総会）で決定された人事は習近平国家主席が絶対的権力を確立したことを示していた。但し、一見堅固に思える習氏の権力基盤には、一枚皮をめくると権力の崩壊につながりかねない不穏な要素も少なくない。

大会冒頭の政治演説で注目を浴びたのは全分野にわたる習氏の強硬路線だった。とりわけ台湾問題では強気ぶりが突出していた。「祖国の完全統一が中国共産党の確固不動の歴史的任務」だとし、統一のためには「決して武力行使の放棄を約束せず、あらゆる必要な措置をとるという選択肢を残す」と宣言した。党大会の政治宣言で台湾併合のために武力行使もあり得るとしたのは初めてだ。

習氏以外の党政治局常務委員６名と中央軍事委員会６名は習氏の側近とイエスマンで固められ、「習独裁体制の完成」を印象づけた。これを産経新聞台北支局長の矢板明夫氏は「異様な人事」

と呼び、次のように語った（「言論テレビ」10月28日）。

「岸田文雄首相が岸田内閣全員を岸田派で固めるようなものです。他派閥から強い不満が噴出するのは当然のこと。それを習近平氏は力で押さえつけて断行したのです」

中国共産党の権力闘争の一端が世界の報道カメラに晒された。今年80歳になる前国家主席、胡錦濤氏が習氏に苦言を呈そうとしたのだ。胡氏は周知のように人民大会堂の晴れがましい舞台から連れ出されてしまったが、この突発事故を理解するには大会最終日の日程に沿って見ていく必要がある。矢板氏の説明である。

「閉幕日の10月22日、午前9時から非公開で中央委員２０５人の選挙が行われました。中国は常務委員7人の下に政治局委員が25人、その下に中央委員２０５人がいます。２０５人の選出は、共産党大会の参加者約２３００人が２２２人の名簿から17人を外す、つまり17人に×印をつける形で行います。それを集計した新中央委員の名簿が赤いファイルに入れられ大会参加者の手元に配られた。この時点で海外メディアも含めて全メディアが人民大会堂に入った。丁度11時です」

完全なるイエスマンを大抜擢

世界中の報道カメラが待ち構えたところで、突如胡錦濤氏の行動が開始されたというのだ。

「11時13分です。胡氏は自分の手元の赤いファイルを開こうとしてそれを取り上げられました。次に右隣りの習近平氏の赤いファイルに手を伸ばしたら、なんと習氏が指で押さえて渡さないようにしたのです。その後、胡氏は連れ出されたわけですが、一連の動作がくっきりと映像に残って世界に拡散されたのです」

胡氏は習氏に抗議したかったのだと思われる。自分が権力を委譲した10年前から、習氏は中国共産党の基本的な統治哲学に反して個人崇拝を強いた。自分が引き立てた中国共産主義青年団（共青団）出身の李克強首相や汪洋全国政治協商会議主席らは新体制の要職から全て外された。不満山積だったろう。

これが22日、共産党大会閉幕日に起きた大事件だった。矢板氏はこの異常事態がさらなる仰天人事を引き起こしたと見る。大会閉幕日の翌日、1中総会で新体制の人事が発表されたが、文字どおり、世界は驚いた。そのひとつは李強氏という、中央政界での勤務経験が全くない人物が序列2位に大抜擢されていたことだ。完全なるイエスマンの電撃出世だった。出世があれば失脚もある。次期国家主席の候補者とさえいわれた胡春華副首相は政治局委員からも外れていた。

「政治局は本来25人の政治局委員で構成されますが、今回24人でした。あり得ない数字です。決をとるときに同数になり決まらない可能性を考えて、中国の委員会の人数は全て奇数です。常務委員会も中央軍事委員会も7人です。ところが政治局委員は24人でした。胡錦濤氏の側近中の側近の胡春華氏を、胡錦濤氏の一件で、怒り狂った習氏が急遽、外したのではないか」

だとすると、政治局という重要な組織の人事は、胡春華氏排斥で埋め合わせの人物の調整もつかないまま、見切り発車したということだ。中国共産党内部の権力闘争が世界に曝露された。習氏の大失態だ。

習氏の怒りは、しかし、胡春華氏排除にとどまらない。中国共産党機関誌「求是」から、胡錦濤氏の論文の全てが一夜にして削除された。習氏にとって胡氏はその全てを消してしまいたいほど憎むべき存在になったわけだ。新たな粛清の嵐の前兆か。

習氏の人事の異常さは中央軍事委員会に関しても同様だ。習氏は台湾への武力行使に関して「放棄を約束しない」、つまり「あり得る」と語ったが、軍事委員会の顔ぶれから感じとれるのは台湾侵攻に意欲満々の野蛮な空気だ。

中国に誤解させてはならない

中央軍事委員会は習氏が主席をつとめ、その下に二人の副主席がついている。その一人、張又侠(ちょうゆうきょう)氏は72歳で、中国式人事の法則では引退する年だが、筆頭副主席として残った。「張氏は70年代末、中国がベトナムに攻め入ったとき、下級将校として前線で戦いました。また彼は後年、総装備部のトップになりました。台湾に侵略戦争をかけるとき、実戦の経験があり、装備にも詳しい軍人をトップに置きたいと、習氏は考えているのでしょう」と、矢板氏。

もう一方の軍副主席は何衛東(かえいとう)という人物だ。15歳で入隊し、以来台湾の対岸にある福建省で対台湾前線に張りついてきた。台湾併合こそが中国の取るべき唯一の台湾政策だと信ずる勢力の筆頭である。

もう一人、李尚福・装備発展部長にも注目したい。次期国防大臣と目されているこの人物は、トランプ政権下で制裁対象とされた。アメリカには入国できない。制裁を受けている人物を中央軍事委員会の要職につけるのは、習氏の側に米国と台湾問題で交渉する気がないことを示すのではないか。

政権を側近ばかりで固め、反対意見を述べる人物を排除した習氏に、全体を見た正しい情報は入るのだろうか。習氏の聞きたい偏った情報しか入らないとしたら、プーチン氏と同じく、判断を間違う危険性が高まる。冷静な情勢分析が必要ないま、習政権の第3期人事から見えてくるのは、台湾侵攻の意志が以前よりかなり強くなっており、状況の読み違えで侵略戦争に踏み切りかねないということだ。

ロシアをジュニアパートナーとして従え、ユーラシア大陸で力をつけ続ける習近平氏の中国は、台湾のみならず、わが国にとっても最大の脅威だ。私たちは中国に対して、これまでにない強い抑止力を構築し、決して中国に誤解させないことが大事だ。それには米国の考えや戦略を正確に読みとり協力し、日本の軍事力を強化し、国防意識を高めることだ。

（２０２２年11月10日号）

【追記】

２０２３年３月、中国の第14期全国人民代表大会が開かれ、習近平国家主席の第３期体制の人事が決定した。予想どおり李尚福氏が国防相に就任した。米国政府から制裁を受けており、米国に入国できない国防相だ。

23年６月２～４日、シンガポールのシャングリラホテルで「アジア安全保障会議」が開催され、オースティン米国防長官は３日に、李尚福国務委員兼国防相は４日に、各々演説した。折しも米海軍のミサイル駆逐艦「チャン・フーン」とカナダ海軍のフリゲート艦「モントリオール」が台湾海峡の国際水域を北上中、中国艦船がチャン・フーンを追い抜き、船首前方を二度横切る暴挙に出た。中国艦は一時、チャン・フーンの前方１４０メートルまで接近、チャン・フーンが減速して辛うじて衝突を免れた。

中国人民解放軍（ＰＬＡ）の無謀な行動はこれが初めてではない。23年5月26日にも南シナ海上空で中国の戦闘機が米偵察機の前方４００フィート（約１２０メートル）に接近、あわや大惨事になるところだった。

このような状況下でまずオースティン氏が演説した。氏は多くの時間を世界情勢の分析に割き、最後の部分で台湾に関して米国は「ひとつの中国政策」を軸に、「現状維持」を重視し台湾海峡の平和と安全を守ると強調した。

世界中が憂慮する中国の急速な核増産及び台湾侵攻に関して、中国との紛争は差し迫っておらず不可避でもないと繰り返し、インド太平洋にアジア版ＮＡＴＯを創る気はないと強調したうえで、「中国が米中両軍の危機管理機構に真剣に関わろうとしないことを深く懸念する。大国は透明性と責任において世界の灯（ともしび）であるべきだ」と語った。

翌4日の李国防相の演説は烈しく、米ニューヨーク・タイムズ紙は「北京はますます自信を深めた様子だ」と報じた。李氏は冒頭から挑発的だった。「世界を見渡すと冷戦思考がよみがえっている」、「習近平主席は地球安全保障構想を呼びかけた」が「アジア太平洋はかつてない安全保障上の挑戦を受けている」、「誰が地域の平和を乱しているのか。混乱と不安定の原因は何か。某国はカラー革命を起こさせ、世界各地で代理戦争をやっている」と、明らかに米国を念頭に置いて批判を展開した。

台湾に関して、「台湾は中国の国内問題だ。台湾は中国の台湾だ。台湾についての決定は中国人が下す。１８０か国以上が『ひとつの中国の原則』に同意している」、「（悪いのは）民進党（ＤＰＰ）の指導者で、彼らは（中国と台湾はひとつの国だとする）92年合意を否定し、台湾独立勢力の拡張を推し進めた」と非難した。

台湾独立の動きには、「中国軍は一秒たりとも躊躇しない」という強硬発言を二度、繰り返した。

李氏は「中国は米国と新型大国関係の構築を目指す」と語って演説を締めくくったが、これは2007年に中国が米国に「太平洋分割統治」を持ちかけて以来の彼らの夢である。太平洋をハワイを基点に東西に二分し、中国が西を、米国が東をとるという考えは全く変わっていないのだ。

この後の質疑応答では、前日に発生した中国艦によるチャン・フーンへの挑発的な接近問題について問われた。質問はシャングリラ会議の主催者によってこう提起された。

「中国艦と中国機が国際水域、国際空域で他国の艦船や機体に近づきすぎたと思われている件について、指摘したいことはありますか」

極めて中立的かつ公平な問い方だったが、李氏はいきり立った。

「ご指摘の事案はなぜ他の国々の近くではなく、中国の近くで発生したのか。中国機も中国艦も他国の近海で主導権を取ろうとして展開することなどない。この種の事故を防ぐには、軍艦や戦闘機を所有する国々が他国近くの空や海で（他国を）取り囲むような行動をしないことだ。なぜそこに行くのか。我々に言わせれば、自分のことをやれ、自分の戦艦、戦闘機を大事にしろ、自分の領空領海の面倒を見ろということだ。そうすれば何の問題も起きないはずだ」

一気にこう語った李氏は明らかに怒り心頭に発していた。我を忘れて罵ってしまった。理性に徹することのできない人物が中国人民解放軍の幹部である。

このような中国に対して米国はこれまでに高官級で十数回、実務レベルで10回近く会談を呼びかけた。だが中国側はそれらすべてを断ってきた。

シャングリラ会議開催の最中、米中央情報局（ＣＩＡ）のバーンズ長官が5月に訪中していたことが明らかになった。氏はバイデン氏が最も信頼する側近だという。昨年、バイデン氏はナンシー・ペロシ下院議長の台湾訪問を止めさせるために、バーンズ氏を使って説得しようとしたがペロシ氏が断った。

バーンズ訪中と同月、サリバン米大統領補佐官（国家安全保障担当）はウィーンで中国外交のトップを務める政治局委員、王毅氏と会談した。サリバン氏は6月2日、「米国は、ロシアや中国を抑止するために核戦力を増強する必要はない」、中露両国との核軍縮協議について「無条件で臨む用意がある」と語っている。

米中関係の雪解けは多層的に進んでいると見るべきだろう。李国防相の烈しい米国非難が米国の足下を見透かしての発言である可能性もある。台湾海峡や南シナ海での人民解放軍の無謀な挑発も同様かもしれない。米中会談を切望するバイデン氏が中国に宥和的すぎる姿勢を取っているからだ。米国が宥和的に懇願すればその分中国は多くを要求する。力しか信じない中国に宥和的姿勢は禁物である。米国が譲りすぎることは日本をはじめ西側世界にとって大問題だと、ここでバイデン氏に忠告すべき国が日本である。岸田文雄首相にそれが出来るか。それ以前に、岸田氏に中国についての正しい理解があるのかが問われている。

中国の人権侵害に初めて物言う日本

相手が中国となると、わが国は政界も財界も信じ難いほど卑屈になる。一例が、中国の人権侵害問題には一言も抗議できないことである。ところが2022年12月5日、ようやくこの悪弊が少しだけ破られた。超党派の「中国による人権侵害を究明し行動する議員連盟」が設立総会を開いたのだ。

これまでわが国にはチベット、ウイグル、南モンゴルの3民族の問題にそれぞれ取り組む議員連盟が存在し、各自、中国の暴圧と闘おうとしてきた。今回、右の三つの議連が連帯して、中国の「人権侵害」は許さないという旗印を掲げることになったのだ。

会長にはウイグル議連会長で元国家公安委員長の自民党・古屋圭司氏、会長代理には南モンゴル議連会長で経済安全保障相の高市早苗氏が就いた。日本維新の会の馬場伸幸代表、立憲民主党の松原仁元拉致問題担当相、国民民主党の玉木雄一郎代表らも名を連ね、代理出席も含めて国会議員約60人が総会に出席した。

高市氏は外国における重大な人権侵害に制裁を科す人権侵害制裁法（マグニツキー法）を、先進7か国の中で日本だけが有していないのは残念だとし、新しい議連で同問題に取り組んでいきたい旨、語った。

設立総会には中国に弾圧され続けている3民族の代表らも招かれた。チベット亡命政府のロブサン・センゲ前首相は、3民族はみな同じ弾圧を受け、同じ苦しみを体験してきた、中国は自らを平和国家だと言うが事実は全く異なるとして、以下のように語った。

「中国は、自分たちは他国を侵略しないと言い続けてきました。実態は逆です。万里の長城は1000年も2000年も前に彼らが外敵の侵入を防ぐために築いた。長城の内側だけが中国だったのです。ところが中国の領土は今、それをはるかに越えて膨張しています。

彼らはウイグル人の土地を新疆と呼びます。新しい領土という意味です。ウイグル人の国土が古代から中国領であったなら、新疆とは呼ばないでしょう。新たに奪った国土だから新疆と呼ぶのです。このように、中国は他国から土地を奪い続け、現在の国土を有するに至りました。中国国土の60％、半分以上が私たち3民族から奪った土地なのです」

安倍総理と同じ気迫で……

中国は狙いを定めた国を、あらゆる手段で取り込む。甘い言葉で騙し、無尽蔵かと思えるカネでエリート層を買収する。センゲ氏が語る。

「何も心配しなくて大丈夫ですと、中国は言います。その言葉こそ警戒すべきです。私たちの国を見て下さい。油断するとこうなります」

世界ウイグル会議のドルクン・エイサ議長も異論をはさませない迫力で危機感を表明した。1００万人規模の同胞が収容所に閉じ込められ、この世の出来事とは思えない拷問が執行されジェノサイドが進行中である。エイサ氏の青白い炎のような舌鋒鋭さは当然だ。

「日本に要望します。現在進行中のジェノサイドを止めるため、何としてでも手を打ってほしい。中国が大国だからといって、中国の側に立たないでほしい。種々の国際会議で日本国首相は習近平にウイグル人弾圧をやめるように言ってほしい。安倍晋三首相は習近平にウイグル問題を指摘した。安倍首相の対中外交を引き継いでほしい」

思い出すのは２０１９年12月23日、安倍氏が臨んだ北京での日中首脳会談である。事前の打ち合わせで中国側は「絶対にウイグル問題に触れてくれるな」ときつく要求していた。安倍氏はそれを無視して習氏にウイグル人弾圧について質したのだ。安倍氏が私に語った。

「そのとき、空気が凍りつきました。そして習主席がこう言ったのです。『台湾問題ならまだしも、ウイグル問題に触れるのか』。緊迫の場面でしたが、その後は習氏も私も平静に対話を続けました」

この逸話をウイグルの人たちはよく知っており、心から感謝しているのだ。エイサ氏は、日本の現政府は安倍元総理と同じ気迫でウイグル人虐殺に抗議してほしいと繰り返した。エイサ氏の家族状況を考えれば、切羽詰まったような氏の言葉に大いに納得する。

氏は大切な母親、アヤン・メメットさんを収容所でなくしている。4年前の5月、78歳だった。エイサ氏はドイツ国籍を取得して世界ウイグル会議の代表としてドイツから発信を続けていた。息子が海外で「勝手な言論」により中国政府を非難しているとの理由で、高齢の母親が逮捕された。彼女は劣悪な状況下、尋問責めに遭い続けた。

中国当局は収容者に一体どんな責め苦を与えるのか。私が聞いた事例の中に、随分前の、日本人女性に対する責め苦がある。時期も異なり、拘束されたのは日本人女性でウイグル人に対する状況と必ずしも同じではないかもしれない。また、この方の氏名など、その詳細は残念ながら明らかにできない。それでも尋問の苛酷さの一端は日本人としてどうしても知っておくべきものだ。

彼女は逮捕され、全裸にされ、両手両足を椅子に固定されたまま拘束され続けた。大小便は垂れ流しだった。地獄さながらの状態は月単位で続き、発狂しそうになったという。

前述したようにこの事例はかなり以前のことだ。しかし中国共産党の右の女性に対する所業は、清水ともみさんの本をはじめ、さまざまな形で伝えられているウイグル人弾圧の詳細と重なる。彼らは本質において全く変わっていない。そのことを胸に刻んで、私たちは断じてこんなことは許さないと、決意を新たにするべきだ。

何が良識の府だ

静岡大学教授の楊海英氏が南モンゴルを代表して語った。来日して33年、日本国籍を取得した楊氏が語った。

「わが国が中国に与えてきた前代未聞の巨額の政府開発援助（ＯＤＡ）が悪魔の国を創りました。今、わが国はそのＯＤＡで他の発展途上国を扶けていますが、その中に3民族も加えてほしい。中国の人権侵害の実態を示す資料を集めて人権資料センターを作ってほしい。そうすれば、日本は中国の人権侵害研究において国際社会の拠点のひとつとなるはずです」

大事なことは人権無視、国際法無視の中国の勝手な行動を止めることだ。日本の役割は非常に大きい。中国にまともに物が言えるだけの力を持つアジアの国は日本以外にないはずだ。それだけに、責任もある。

だが永田町を眺めると、多くの政治家が中国に沈黙を守ろうとすることに驚く。古屋氏らの議連が発足したのと同じ日、参議院は「新疆ウイグル等における深刻な人権状況に対する決議」を可決した。反対意見に配慮したことで、人権侵害でなく人権状況という文言になっている。決議文には中国の国名もない。参院の体たらく。何が良識の府だ。だからこそ、私は新しく生まれた議連が、日本の政治家らしい行動をとってくれるようにと、期待している。

（２０２２年12月15日号）

6年間も公開されなかった習近平「就任演説」

戦略的に見てこれ以上のタイミングはなかっただろう。臨時国会閉幕の2022年12月10日、萩生田光一自民党政調会長が台湾を訪問した件だ。与党三役としては19年ぶりで、台湾の平和と安定を重視する日本の決意を内外に示した。中国には強い抑止力となったはずだ。

安倍晋三元総理の暗殺以降、台湾に芽生えた心細さ、誰が日台関係強化の推進軸となってくれるのかという蔡英文総統以下、台湾人の懸念も払拭されたことだろう。蔡氏との会談では、「日台連携の強化」「力による現状変更は認めない」「台湾の環太平洋経済連携協定（ＴＰＰ）への加盟推進」「半導体分野での協力加速」などで合意がなされた。会談後に萩生田氏は、日台は同じ危機感を共有すると語って、中国の脅威に共に備える強い思いも確認された。産経新聞の台北支局長、矢板明夫氏が語った。

「萩生田氏は日台関係強化に向けたフォーラムでも基調講演をし、安倍元総理同様大いに台湾人を勇気づけたと思います。台湾人は安倍元総理が大好きで台湾重視の姿勢に本当に感謝しています。でも、それ以上に、政権中枢にいる現役の実力者の訪問を重く受けとめています。蔡氏は『萩生田氏の下、安倍氏の台日友好の信念が必ずや引き継がれると信じている』と語ったのです。萩生田氏を安倍元総理の有力な後継者と見ている人も多いと思います」

習近平国家主席の歴史観や世界戦略を知れば、台湾防衛は日本国と世界の自由主義陣営防衛と同義だと思い知らされる。中国が台湾を制覇すれば、日米のみならず全世界が危機に陥る。習氏の凄まじいまでの米国への憎悪については後述するが、日本は壮大な米中対立の価値観のぶつかり合いの最前線に立っている。

10月の中国共産党大会で習氏は誰一人反対できない最強の権力基盤を築いた。常務委員会も政治局も、中央軍事委員会も徹頭徹尾、「イエスマン」で占められた。習氏は人類運命共同体、地球安全保障構想、一帯一路などのスローガンを掲げるが、それは国連を主軸にして自由と民主主義を守ってきた戦後体制を根底から覆し、中華の価値観と中国主導の新秩序を打ち立てて世界を一変させるという意味だ。

常套句を繰り返す中に本音が

トランプ政権で大統領副補佐官を務めたマット・ポッティンジャー氏らが習氏の目指す世界について「フォーリン・アフェアーズ」誌（11月30日）で鋭く分析した。元「ウォール・ストリート・ジャーナル」（ＷＳＪ）紙の北京特派員だった氏は習氏の演説や発言を中国語で丁寧に読み通している。ポッティンジャー氏は、習演説は全文ではなく、世界に知られたくない中国の本音や本心を省いて公表されると指摘する。

元々中国共産党の文献は冗長で無味乾燥な常套句が繰り返されるために、読み通すのは苦痛である。西側で最も優れた中国研究者の一人とされているシモン・レイ氏が中国共産党の文献読破は「バケツ一杯のオガクズを呑み込むような作業だ」と語ったエピソードを、ポッティンジャー氏が紹介しているほどだ。

それほどに面白くない文書であるのに、こちらが最も知りたい中国共産党の本音や意図は省かれている場合が多い。となれば、読むのは更に退屈で苦痛だ。どんなに熱心な記者や研究者でも中国の真意と企みに気がつかない仕組みと言ってよい。

中国共産党が隠したい暗くておぞましい野望は、数か月後或いは数年後に、原文にそっと挿入され公表されてきたというが、西側の記者や研究者は、過去の文書がこんな形でいじられていることを見抜けない。従って公表されても中国の邪悪な企みに気づかずにいることが多いというのだ。

習氏の考え方を知るには彼の歴史に対する見方を知ることから始めなければならない。重要な具体例としてプーチン露大統領が20世紀最大の地政学的悲劇と語った旧ソ連崩壊が、習氏にどんな影響を与え、中国共産党指導部の政策決定をどのように揺り動かしたかを見る必要がある。

この点について、2012年12月、習氏は広東省における非公開の会議で「ソ連崩壊は我々にとって重大な教訓だ。ソ連とソ連共産党の歴史を忘れること、レーニン、スターリンを忘れること、その他全てを忘れることは歴史のニヒリズムに陥ることで、我々の思想が混乱し、全てのレベルで党組織が弱体化することだ」と警告した。

右の演説で習氏は「旧ソ連崩壊を止めるために立ち上がった男はいなかったのか！」と憤った

という。同発言はこれまでにも報じられてきたが、より重要なのは、ソ連崩壊はソ連が「独裁政権を支える道具立て」を欠いていたからだという習氏の指摘であろう。

「国を滅ぼすことも躊躇するな」

ソ連では軍は共産党ではなく政府、つまり国に所属していた。それゆえにソ連共産党は軍を介入させてソ連崩壊を止めることができなかった。中国の人民解放軍は政府でなく党に所属する。習氏は中国共産党中央委員会総書記、また中央軍事委員会の主席だ。習氏一人が党を支配し、軍を支配する。習氏をはじめ歴代の中国共産党政権は大衆の反乱や下からの革命を最も恐れている。だからこそ習氏は「独裁政権の道具立て」としての軍、世界最大の規模を誇る人民解放軍を完璧に自らの支配下に置き、誰も逆らえない体制を作り上げたのだ。

13年1月の就任演説は6年間も公開されなかったとポッティンジャー氏は指摘する。この中で習氏はマルクス・エンゲルスの理論の正しさを主張し、資本主義は滅亡し社会主義が勝利する、それが歴史の必然で回避はできないと語り、米国憎悪の姿勢を隠さなかった。但し、社会主義勝利に至る道には曲折があり、目標達成には長い時間がかかるとも語っている。目標達成までの長い時間において中国共産党は鉄のルールで規律を強め、集中力を発揮して党の支配を維持し強化せよというのが、今年10月の党大会で習氏が強調した点だ。

習氏は人類運命共同体の考えを内外で強調してきた。人類全体が中国共産党の価値観に基づいた秩序の中で「ウィンウィン」の関係で暮らすという考えだ。中国共産党の価値観に染まって暮らすことを強要される社会など、日本人には真っ平ご免であろう。他ならぬ習氏も「中国の考えと社会制度は基本的に西側社会のそれと合わない」と認めている。その上で「我々と西側のせめぎ合いから生まれる苦しみと戦いは和解不可能で、複雑で長期にわたって先鋭化する」と断じている。毛沢東に倣って「新国家建設のためにはその国を滅ぼすことも躊躇するな」とも語っている。プーチン氏のウクライナ侵略戦争を決して非難しない背景には、このような習氏の考え方がある。

わが国が中国に対する構えを全力で強化すべきなのは明らかだ。国の安全が危うい今、あらゆる手段を講じて軍事力強化に邁進するのが岸田文雄首相の責任だ。

（2022年12月22日号）

【追記】

マット・ポッティンジャー氏とマイケル・ピルズベリー氏は間違いなく米国を代表する中国問題の専門家である。ポッティンジャー氏は中国共産党の発表する文書からは度々、最も重要な部分が省かれていると指摘する。中国は米国や世界に知られたくない本音を常に隠すというのだ。

他方ピルズベリー氏は米国の情報機関も当局者も、大半が中国の反米の兆候を完全に無視してきたと著書『China 2049』（日経BP）に書いている。1999年のベオグラードの中国大使館爆撃直後に中国共産党中央政治局は緊急会議を開いたのだが、その議事録を米国情報機関は入手した。そこには江沢民主席、李鵬前首相らが「米国の空爆はさらに大きな策略の一部かもしれない」「アメリカが敵であることを思い出させる」など、徹底したアメリカ非難の発言が記録されていた。こうしたことがあっても米当局者の中国に対する楽観的見方は揺らがなかったと、ピルズベリー氏は書いている。そもそも、ＣＩＡ翻訳センターは中国指導者の米国に対する非難やナショナリズム的な書類は翻訳しないよう指示されていたというのだ。

中国が本音を隠す、たまたまその本音が出てきても米国側がそのことに留意しない。この二重の壁があって米国の、そして西側の中国理解が浅いところにとどまっているのだ。

情報の世界の根深い〝親中性〟が私たちの側の対中姿勢を深く蝕んでいる。

戦略3文書、戦後体制への決別を評価する

2022年12月16日、岸田政権が発表した安全保障に関する戦略3文書はわが国の安全保障の在り方を大幅に変えるものだ。戦後日本を特徴づけてきた空想的な平和主義を明確に批判し、その批判が戦略として位置づけられた。決して完全ではないが、歴史的な一歩だとも言える。岸田氏は発する言葉数は多いが、真の意図がよく見えてこないと私は注文をつけてきた。しかし今、氏の意図は明確な形で示された。3文書に関して私は岸田首相を評価したい。

3文書は①国家安全保障戦略、②国家防衛戦略、③防衛力整備計画から成る。①はわが国の安全保障政策の根幹を成す考え方、哲学を示している。①の戦略に基づいて防衛政策を具体的に策定するのが②である。①と②を実現するために必要な訓練や武器装備の調達計画が盛りこまれているのが③である。

3文書で約100頁、その中でまっ先に私の目をひいたのが①の安保戦略文書内、以下の文言だ。

「強力な軍事能力を持つ主体が、他国に脅威を直接及ぼす意思をいつ持つに至るかを正確に予測することは困難である」

強力な軍事能力を持つ主体を「中国」と置き換えれば、中国がいつ日本や台湾に直接的に侵略をかけようという気になるか、正確に予測することはできないということだ。軍事強国が侵略戦争を始める時期は予測できない、言い換えれば軍事強国は侵略しないなどと考えてはならない、という表明である。

右の認識は憲法前文の精神の否定につながる。憲法前文にはこう書かれている。「平和を愛する諸国民の公正と信義に信頼して、われらの安全と生存を保持しようと決意した」。年来の日本は右の夢見る子供のような考え方を金看板にしてきた。世界は中国も含めて「平和を愛する」国々と公正で信義に厚い人々で満ち溢れているのであるから、そのような国際社会を信頼して日本国民の生存（命）と、日本国の安全を預けるのがよいという愚の極みの主張が幅を利かせてきた。この空想論とは全く別の、現実を見据えた考え方が今回の安保戦略で打ち出された。憲法前文の精神の否定がわが国の戦略文書を貫く基軸となった。実に大きな一歩ではないか。

2035年までに核弾頭を1500発

安保戦略文書はさらに指摘する。「したがって、そのような主体の能力に着目して、我が国の安全保障に万全を期すための防衛力を平素から整備しなければならない」。

中国の能力に着目せよと言っている。主体、即ち中国が侵略してくるか否かを判断するには二つの要素の見極めが必要だ。意思と能力である。どちらが重要か。能力だ。相手を打ち負かすに十分な軍事力（能力）があれば、侵略者はいつでも侵略できる。そこに意思があれば侵略戦争を始める。だが意思があっても、十分な軍事力がなければ侵略は不可能だ。だからこそ能力に着目する。その点を岸田政権ははっきりと打ち出した。

これは国際社会の常識だが、わが国は長い間空想的平和主義に埋没し、狭い国内議論の枠外に出ることをしなかった。国際社会の常識を共有してわが国の国家戦略の基盤とすることなど考えもしなかった。それが今回、大きく転換した。敵の能力に着目し、平素からわが国の防衛力を整備する。国際社会の善意に無闇に頼らず、「敵の軍事力」に対応すると明言した。

中国の軍拡の凄まじさは今更言うまでもない。彼らは2030年までに1000発の核を持つと米国防総省は予測していたが、11月末の「中国の軍事・安保に関する年次報告書」では核弾頭を2035年までに1500発備蓄する可能性を示した。中国は米国の軍事能力に肉薄中なのだ。米国の危機感も日本国のそれも全て、目の前の中国の生々しい軍拡から生まれている。こちらの立場はまだ中国に優勢とはいえ、状況は控えめに言っても切迫しつつある。

今回の3文書に関して、中国政府には腹に据えかねるものがあるのだろう。文書発表の翌17日、中国海軍は沖縄南方の太平洋上で空母遼寧から艦載戦闘機やヘリコプターの発着艦訓練を行ってみせた。6時間連続の集中訓練は大国意識丸出しの対日恫喝だ。

止むことのない沖縄上空への人民解放軍の戦闘機及び爆撃機の接近、尖閣周辺での領海侵入など、日本への圧迫行動を安保戦略文書は次のように明確に非難した。

「現在の中国の対外的な姿勢や軍事動向等は、我が国と国際社会の深刻な懸念事項であり、（中略）これまでにない最大の戦略的な挑戦であり、我が国の総合的な国力と同盟国・同志国等との連携により対応すべきものである」

　中国を名指しして最大の戦略的挑戦をしていると言い切った。岸田政権が言うべきことを言ったのはよいことだ。何故なら、言うべきことをきちんと言わなければ侮られる。侮られることは容赦ない軍事的恫喝や軍事侵略のきっかけになるからだ。だから決して侮られてはならない。

防衛力は代替できない

　戦略文書は、わが国は「国際社会の主要なアクター」であり、「同盟国・同志国等と連携し、国際関係における新たな均衡を、特にインド太平洋地域において実現」し、中国が一方的に現状変更を行うような状況を防ぐと誓っている。

　また、国際協力の手段として、防衛力こそ最終的に担保する力だと断じ、「この機能は他の手段では代替できない」と明記した。

　今回の強い姿勢を、たとえばこれまでの北朝鮮外交と較べれば、違いの大きさが分かるだろう。無理難題を吹っかけてくる北朝鮮相手に、とにかく交渉が第一だ、一に交渉、二に交渉、うまくいかなくても、時間をかけて外交力に頼るというのが日本だった。ところがいま、最終的に物事を決めるのは防衛力だとし、他の手段で代替することはできないと踏み込んだ。

　ここで考える。岸田氏の今回の決断決定は、概ね、安倍晋三元総理が主張してきたことである。安倍氏は現実をよく視(み)つめていた。最終的に決定するのは軍事力だと理解していた。戦略文書で強調された反撃能力の重要性を提唱したのも安倍氏である。だが、安倍氏の主張がどれだけ正しくても、どれだけ国民の為になり、国益に資するものであっても、朝日新聞を筆頭にメディアは安倍氏の正論を叩きに叩いた。

岸田氏の主張展開にはメディアによる非難があまりなされない。なされても穏やかだ。

この点こそ岸田氏の強さである。不思議な強さだ。岸田氏はそれを政策推進の力に転化できるだろうし、そうすべきだ。

私は、岸田氏が打ち出した戦略の、戦後体制からの訣別という大きな変化を、とりあえず、第一歩として評価したい。


（２０２２年12月29日号）


【追記】

岸田文雄首相はなぜ歴史的といってよい決断を下すことができたのか。私は岸田氏に幾度か取材をしてきたが、当初の印象は「とらえどころのない人物」だった。非核3原則という典型的なパシフィズムのスローガンを大切にしている人物だ。その同じ人物が今回、戦略3文書を一行一行きちんと読んで指示を出したうえで了承し、発表させたと、事情通の複数の人物から聞いた。

平和志向で専ら話し合いを重視する人物が、平和は軍事力なしでは実現できないと悟ったのはなぜか。その理由を前述の複数の人物らは岸田総理に毎週届けられる軍事情報ゆえだと説明した。国家安全保障局は日本の直面する脅威、中国の軍事動向を含めて、安全保障関連の情報を総理に伝える。厳しい現実を知ることによって、岸田氏は一国のリーダーとしての自覚と理解を深めたというのだ。ならば岸田氏にはもっと情報を吸収し、現実を現実のままに見てほしい。岸田氏には聞く力を発揮して、安全保障問題の学びを深める責任がある。安全保障政策こそ、判断を間違えると、国家国民の命運が危うくなる。

また、私は本文に書いたように安全保障に関する3文書を高く評価するが、それは飽くまでも第一歩にすぎない。安保3文書でわが国の安全保障の分野には多くの前向きの変化が生まれるのは確かだ。しかしよくよく考えてみると、自衛隊の本質がポジティブ・リストに縛られる警察権の法体系下にあることには何の変化もないのである。安保3文書の先に、岸田氏は憲法改正を行って、9条2項を削り、自衛隊を正規の国軍として位置づける責務があると考える。その責務遂行は本当に待ったなしの状況だという点も強調しておきたい。

第五章　問われる日本の覚悟

終身皇帝の脆弱な足下

ウクライナ侵略戦争はプーチン露大統領が戦争遂行を諦めるまで止まない。2022年末のゼレンスキー・ウクライナ大統領の訪米を受けて、米国はウクライナを敗北させない構えを一段と強化した。ウクライナ戦争を終わらせる唯一の道はプーチン氏を徹底的に敗北させ、停戦に追い込む道だと米国は考える。

ウクライナ戦争が長期化し、プーチン氏が凋落する中で、中国の習近平国家主席は22年10月に事実上の終身皇帝の地位を固めた。その直後から、国際社会の舞台を駆け巡り始めた。10月末以降11月中旬までの短い期間に習氏が会った首脳はベトナム、独、米、仏、蘭、南アフリカ、豪州、韓国、セネガル、アルゼンチン、スペイン、インドネシア、伊、フィリピン、シンガポール、日本、ブルネイ、ニュージーランド、パプアニューギニア、チリ、タイなどである。

一連の首脳会談はさながら盟主習氏が各国の朝貢を受けるかのような設定で行われた。習氏が満面の笑みを浮かべて待ち受ける会見場に各国首脳が喜びの表情で入り、習氏に歩み寄り握手をする。

そうした演出の下、習氏は諸国を、取り込むべき国と警告すべき国に巧みに仕分けし、あらゆる分断を企んだ。カナダに厳しく独に優しくして先進7か国（G7）を分断し、米英に厳しく豪州への姿勢は軟化させた。AUKUS（豪英米）体制にヒビを入れたいためだ。中国の最終目的は米国を主軸とする陣営内に不協和音を作り出し米国の影響力を殺ぐことだ。

そうした中、中国の神経に障ったのが、岸田政権が12月16日に発表した安全保障に関する3文書だった。戦略3文書は、まだ不足の面や制度的な欠陥が目立つとはいえ、これから3文書が現実の政策になっていく過程で、必ず足らざる点は補われ必要な修正がなされていくだろう。本質において安倍晋三元総理が唱えた「日本を、取り戻す」という精神を確認したことは大きな安心材料である。国際情勢の厳しい現実から目を逸らして、国際社会を善意と友情の殿堂であるかのように見做してきた戦後日本の在り方を、本質的に変える画期的なことなのだ。

憲法前文に示された平和を愛する国際社会は存在しないと事実上、明記し、日本国は現実を見ることを重視すると宣言した。軍事力強化に向けての諸施策は、日本国は戦力を持たないとしたうえに交戦権を否定した9条2項と真っ向から対立することも認識しておきたい。

「侵略国」「言動を慎め」

中国は日本の変貌振りと防衛費対GDP比2％目標を余程不快に思ったのであろう。同日の記者会見でわが国を「侵略国」と呼び、「言動を慎め」と命令した。翌17日には中国人民解放軍（PLA）が沖縄南方の海上で空母遼寧を舞台に大規模軍事演習を展開してわが国を恫喝した。

戦略3文書を発表しただけでこの反応だ。日本がまともな普通の国になるために軍事力をさらに強化し、憲法改正を実現し、9条2項を削減する段階に至れば、習政権は必ず気が狂うほどの強い恫喝作戦に走るだろう。

しかし習氏の足下はなんと脆弱なことか。ゼロコロナ政策を突然止めたことで武漢ウイルスが蔓延し、死者が増え続けている。そうした気の毒な人々を満足に弔うこともできない。コロナ対応のさらに向こう、中国共産党の支配そのものに根源的な疑念を抱いた若者たちの白紙運動はいつ再び巻き起こるか、誰も予測できない。形の上で永久独裁政権を作ってみたものの、絶対権力者の習氏に退陣を迫るという驚愕のデモが、第一波だけで終わるのか。人間の心に閂（かんぬき）をかけて永遠に黙らせることなどできはしない。

それでも習氏は世界を従わせ、中国共産党の色に染め上げたいと切望する。共産党の鉄の規律は米国の自由主義に優ると確信し、米国に替わって覇権を打ち立てようと目論む。中国に従いさえすればあらゆる悪徳に目をつぶってやるという姿勢で弱小国家のリーダー達を腐敗の沼地に誘いこむ。汚職も裏金も国民弾圧も反対者の殺害も、中国共産党と習氏への忠誠さえ示せば黙認される。

そんな中国になびく貧しい国々の、国家観も誇りもない指導者たちは少なくない。従って中国支持の国は数の上ではふえていくだろう。だからと言ってその先に生まれる中華の価値観に染まった社会や国を大人しく受け入れるわけにはいかない。この局面で、心を決めて戦うことが大事である。

中国が最大限警戒し、敵視する米国はどうだろう。彼らは深い分断に悩んでいる。富、宗教、人種、性、教育などあらゆる面でアメリカ社会は分断され、アメリカ建国の精神さえも否定する極左リベラルの価値観が広がっている。バイデン氏は2年前、アメリカの分断を埋めると公約して大統領に就任したが、分断は逆に深まっている。それでもその米国が西側の自由主義陣営を支えている現実は否定できない。

世界最強の米国はこれまでに日本円で3兆円近くをウクライナ支援に充てた。ロシアに向き合い、中国の動向を最大の挑戦と位置づけて経済戦争を展開中だ。中国との対決姿勢は民主・共和両党が共有する米外交の堅い基盤である。

国土防衛の強い意志を示せ

米中露のせめぎ合いの中で、日本の担う役割は私たちが考えるよりはるかに大きく重い。日本が米国の側に立ち、或いは欧州諸国との協調を深め、自由主義世界に対する専制独裁の中露の挑戦を抑止するのは当然の責務だ。

だが、米国と協調する、或いは欧州と力を合わせるにも、私たちは世界の国々と較べて歪(いびつ)な国家の構造を修正できずに今日に至っている。憲法のことだ。自衛隊の手足を縛り、自衛隊を通常の軍隊ではない枠内にとどめる憲法ゆえに、わが国は国防についてはさまざまな面で周回遅れの状況にある。

ウクライナ国民はプーチン氏の侵略に必死で抗っている。戦況がさらにロシア不利に傾けばプーチン氏による核使用の脅威もあり得るだろう。それでもウクライナ人は戦い続ける。

中国はロシアよりも賢く、習氏がプーチン氏と同じことをするとは思わない。しかし、万が一、そうなったら私たちはどうするのか。ウクライナ人と同じように戦って国を守れるか。この問いから目を逸らすことは、日本人の大人として無責任だ。

戦争は起こさせた時点で、当事国にとって敗北である。国民の命は奪われ国土は荒廃するからだ。だから戦争は起こさせてはならない。そのために、戦争を仕掛ける国や民族にはこれ以上ない程明確に意志を伝えなければならない。日本国に手を出す者は許さない、阻止する、反撃する、追い返す、と。日本国と国民は国土防衛の強い意志を持っており、決して屈しないと、事ある毎に明確に伝えることが大事だ。

言葉を裏づける力が要る。そのための軍事力であり、戦略3文書だ。だが、それだけでは不十分だ。周回遅れの日本を他の国々と同じ水準に引き上げるために、是非ともしなければならないのが憲法改正である。令和5年の最重要の課題だと考える。

（2023年1月5・12日号）

楠木正成を討ち死にさせた政軍関係の過ち

日本の私たちが学びたいことに戦略と戦術の違いがある。岸田文雄首相が発表した安全保障戦略に関する3文書、それを解説するメディアの記事や資料には、戦略の二文字が度々登場する。国際関係論の大家、田久保忠衛氏が苦言を呈した。

「国防費の規模やトマホーク導入の可能性などは全て戦術に属する事案です。それも大事な要素ですが、日本の安全保障の議論からは戦略が窺えません。戦略とは国際社会の大きな潮流をとらえて方針を打ち立てることです。一国の命運を懸けて熟考し、秘密裡に実行される性質から、戦略は通常、公開の議論には出てきません」

1949年に設立されたNATO（北大西洋条約機構）の基本軸がその一例だ。田久保氏が続けた。

「52年に英陸軍大将のイスメイがNATOの事務総長になりました。第二次世界大戦が終わって一息ついたのも束の間、欧州はソ連と対立し、冷戦の真っ只中です。イスメイはNATOの取るべき戦略を簡潔にまとめました。米国はイン、ソ連はアウト、ドイツはダウン、です。つまり、米国をNATOに深くコミットさせる、ソ連を排除する。そしてドイツには反省させ続けるという意味です。欧州の行く道はこうなる、この形で国際社会を構築していくべきだと。見事な戦略論です」

大東亜戦争に関連して言えば、わが国の真珠湾攻撃は戦術だった。それは見事に成功した。しかし、戦略としては間違っていた。なぜなら、当の山本五十六海軍大将自身が日米開戦に最後まで反対したように、日本は米国を敵にすべきではなかったからだ。万止むを得ずの開戦だったが、戦略なき戦いだった。

令和5年の今年はどこから見ても尋常ならざる危機の年だ。安全保障は無論、経済も戦争を大前提にして準備しなければ取り返しのつかないことになる。中国に台湾侵攻、即ち日本侵攻を諦めさせるには抑止力としての強い軍事力と経済力が必要だ。その上でどの国とどのように協力すべきか、国際社会で日本はどんな立ち位置を選ぶべきか、まず戦略を定めてからそれを支える戦術を実行するのが本来の姿である。

軍人の知恵を頭から否定

戦術、戦略のいずれを論ずるにしても、しっかりした政軍関係、政治と軍、政治家と軍人の関係を維持することが欠かせない。方針や政策の決定者である政治家に、安全保障に関する現場の正しい情報が遅滞なく届いていなければならない。

ロシアは政軍関係が正しく保たれていなかった。そのためにプーチン大統領はウクライナを侮り、失敗した。世界は今、習近平氏が同じ失敗をしないかと恐れている。日本にも政軍関係について心すべき事例がある。歴史上の人物としては有名だが、現在は余り知られていない政軍関係の過ちを示すのが後醍醐天皇と楠木正成の事例だろう。

正成の悲劇と活躍は国民的文学、『太平記』に詳述されている。40巻もある大部の書だが、物語の展開に速度と強さがある。軍事的緊張が高まっている令和の今、正成の生涯を辿ることで多くを学べると思う。

正成は鎌倉幕府と対立する後醍醐天皇のために全力で戦った。鎌倉幕府は倒れ、やがて足利尊氏の軍と戦うことになる。そのとき、正成は小さな軍勢で大軍の足利勢に勝利するには、一旦京を離れ、彼らを京の都に引き込んでゲリラ戦を展開し、兵糧攻めにした後、京を奪還するしかないと心に定める。しかし天皇が京を離れるのは体裁がよくないと公家たちがこれに反対した。後醍醐天皇はその反対の声に耳を傾けて、正成に京から離れた湊川（兵庫）で敵を迎え撃てと命ずる。

正成は戦いの達人だった。それまでの戦いでは誰も思いつかないような攻め方で、大軍を破ってきた。その軍人の知恵を頭から否定した公家たちも天皇も軍事のことはほとんど理解できていない人々だ。無知な指導者の指示に従えば、敗北しかない。それでも正成は君命に従った。

湊川の最前線に向かった正成は自分が討ち死にした後のことに考えを巡らせた。後醍醐天皇の守護に当たる兵力を残しておかなければならない。そう考え、わずか700騎を率いて出発した。この兵で陸路3万、海路2万の足利勢に立ち向かうのだ。ぶつかり合って半日余りも戦い抜いたとき、最後に残ったのは73騎だったという。正成はここで弟正季と刺し違えて自害する。

「七度生まれかわってでも、朝敵を滅ぼす存念」を誓い合う二人の最期は物語の山場のひとつで、涙を誘う。

正成は軍人としてその最高司令官（この場合は後醍醐天皇）の指示に従って戦った。軍人は決して勝手に動いてはならず、命令に従うという意味で、政軍関係は守られた。しかし、命令するトップが軍事に無知であったために、正成は命を落とす。上に立つ者はしっかりしていなくてはならない、とりわけ軍事についてある程度理解できなければならないということだ。

米国に追従するだけの国

現在の日本で、軍事を一定の水準以上で理解し、全体的な状況を把握して戦略を描ける政治家はいるだろうか。心細い。

そしていま懸念すべきは、日本が米国或いは中国の属国になってしまう可能性だ。迫り来る中国の脅威の前で、岸田首相は反撃能力の保有を宣言した安保3文書を発表し、米国との軍事協力強化に取り組んでいる。この努力が単なる日本の軍事力強化に終われば、日本は精神的に米国に追従するだけの国になる。3文書からは「自国は自力で守る」という気概が読み取れる。だがそこで止まってはならない。気概は本物だということを、自衛隊法及び憲法の改正を実現することで示さなければ、日本は単なる米軍の補完勢力のままだ。精神的に米国の被保護国であり続けるということだ。

中国の軍事的脅威に対しては日米同盟の緊密化で対処できるとしても、懸念すべきは経済関係だ。中国に搦(から)めとられないために岸田政権は米国と協力して経済安全保障戦略を打ち立てた。鍵は、それを単なる文言で終わらせずに実行することである。足下を見れば、中国を警戒すると言いながら、わが国は今も中国に国土を売り続けている。電力網にさえ中国資本を招き入れている。目先の利潤確保のために、対中投資を続けている。これでは、中国の影響力に圧し潰される。彼らの顔色を窺う属国のようになる可能性はそこかしこに見てとれる。

中国の人口は今年中にインドに抜かれる。コロナウイルス政策に見てとれるように、中国共産党は国民監視には長けていても、国民の命や人権、まして自由は守れない。これでは誰も幸せになれず、人心は中国共産党から離れていくばかりであろう。このような中国共産党が世界を制覇できるとは思えない。否、制覇させてはならない。

この異形の国に対抗するには、人権、自由、国際法の価値観を旗印にして多国連合の形成を日本の大戦略とするのがよいのである。

（2023年1月19日号）

米中戦争で日本も戦場になる

米国の有力シンクタンク、戦略国際問題研究所（ＣＳＩＳ）が２０２３年１月、「次の戦争の最初の戦い・中国の台湾侵略机上作戦演習」を発表した。２年間かけて行った24回の机上作戦演習の総まとめだ。

演習の特徴は同企画の全てを軍関係者が担ったことだ。シビリアンである政治家の参加なしで、中国の台湾侵略に関して厳密に軍事的要素に基づいて予測した。なぜこのような形を取ったのか。米国防総省の過去複数回にわたる米中戦争の机上演習では、いつも結果に曖昧さが残った。肝心の軍事力の較量（きょうりょう）に関する情報は公表されなかった。情報秘匿の理由は米国にとって好ましくない結果が出たからだと推測された。

ランド研究所上席研究員のデイヴィッド・オクマネック氏は「米国対中露戦争では、我々はボロ負けだ」と語って憚らない。私が信頼する米国の軍事専門家の一人である元国防次官のミッシエル・フロノイ氏は「国防総省の机上演習を見れば現在の米国防力整備計画で将来、中国の侵略を防ぎ、彼らを敗北に追い込むことはできない」と語っている。

２０２１年３月には空軍中将のクリントン・ヒノテ氏が「米空軍の机上作戦演習は10年以上前から中国軍よりも米空軍の遠隔攻撃能力が弱体化してきたことを示していた。我々の敗北へのペースは加速している」と警告した。

国防総省の演習はたとえば20年先の米中軍事力の較量など長期的展望を想定して行われがちだという。敵方に知らせたくないという理由で不利な情報を公開しない。しかし、足下の現実よりも長期展望に注目するだけでは適切な戦略は生まれない。その意味でＣＳＩＳが政治的要素を排除し、軍事的視点を基本に机上演習を行ったことの意味はあるだろう。

演習は中国が２０２６年に台湾上陸を目指して攻勢に出るとのシナリオをもとにした。米中双方は核を使わないという想定で、基本的、悲観的、楽観的、非常に悲観的、絶望的の５つのパターンで演習を行った。結論から言えばその全てで、中国は勝てなかった。

勝てないとは「中国が台湾に上陸し、占拠することはできない」だ。

在日米軍基地を攻撃

全シナリオで中国が実施した攻撃のパターンは同じだった。まず爆撃により初動数時間で台湾の海・空軍に潰滅的打撃を与える。強力なロケット軍に支援された中国軍が台湾を包囲し、万単位の中国兵が軍艦、民間の船舶を総動員して台湾海峡を渡る。中国空軍は海岸の上陸拠点を守る台湾軍を空から攻撃する。

ここまでは中国が優勢だ。しかし、すぐに崩れる。台湾陸軍の烈しい反撃で中国軍の上陸は阻止され、中国兵は台湾内陸部に侵攻できない。米軍の潜水艦、爆撃機、戦闘機、攻撃機が日本の自衛隊の補給、支援を得て素早く展開し、短時間に中国陸海空軍を無力化する。中国軍は在日米軍基地及び自衛隊基地、さらに米軍水上艦を攻撃するが、優位に立てず、台湾の自治権は守られる。

日米台の勝利には三つの重要な条件があるとされた。①台湾がもちこたえること、②米国が在日米軍基地を戦闘作戦に使用すること、③米国が中国防衛圏の外側から中国艦隊を迅速かつ大量に攻撃できること、だ。

①について。中国の台湾封鎖は海空双方で非常に堅固で、米軍はこれを突破できない。24通りの演習全てで米軍は封鎖された台湾に支援部隊も装備も弾薬も送り届けることができなかった。つまり、台湾は侵略された時点で自分たちが保有している武器装備だけで戦わなければならないのだ。ウクライナと異なり地上ルートで他国からの支援は受けられない。真の意味で自力の強化が必要だ。

台湾の砲弾備蓄は戦闘開始から2か月で不足し始め、攻撃力は半減する。3か月で砲弾は尽き、砲兵部隊は歩兵部隊にならざるを得ない。日本にとって他山の石である。

②については日本の覚悟が問われる。今月12日からワシントンで外務・防衛の両大臣による日米「2＋2」の会合が、続いて13日には岸田文雄首相とバイデン大統領の首脳会談が行われた。12日の「ウォール・ストリート・ジャーナル」紙は社説で日米首脳会談を「今年、最重要の外交イベント」と書いた。「日本の国防の目醒め」を歓迎し、「日本は要（かなめ）」だとした。

日本の防衛費増額は歓迎され、日本が新たに保有する反撃能力に関して、「効果的な運用に向けて日米間の協力を深化させる」ことになった。米国の日本への期待は大きい。その分、日本自身が何が国益かを考えなければならない。

中国は台湾侵攻の過程で確実に在日米軍基地を攻撃する。侵攻開始から少し時間をおいて、日米の戦闘機が台湾支援で集結した頃合いでの攻撃になるだろう。そのときの中国軍は日米両空軍に陸上で大損害を与えることができる。戦闘機の破壊は地上駐機のときが一番容易なのだ。

国土を破壊される日本

中国軍の攻撃は日本を台湾有事に引き込み、日中の戦いとなる。演習では、中国軍が米軍基地のみならず自衛隊の基地を爆撃した方が、しない場合より中国は優位に立てた。とすれば彼らはそうするだろう。沖縄であれどこであれ、誰も望まない戦争の場に日本がなるのだ。

この事態に対処する道はひとつである。中国の習近平国家主席に攻撃を思いとどまらせるに十分な、強い反撃力を日米の協力体制の中で顕示していくことだ。彼らに侵攻を諦めさせるに十分な強い軍事力と、戦う意思が、日本側に明確にあることが必要なのである。

③は台湾のみならず、日本を含めた自由陣営の要望だが、肝心の米バイデン政権の考え方はどうか。

ＣＳＩＳの演習はこちら側が勝利するとの結論に達したが、その実態は読むだに心が痛む。日米は艦船数十隻、航空機数百機、軍人数千人を失う。米国は世界最強国としての地位を長年にわたって失い、台湾は国土を破壊され、経済再生に苦労する。国土を破壊される日本も同様だ。

他方中国海軍は崩壊し、水陸両用部隊は壊滅、数万人の兵士が捕虜となる。中国共産党の存続にも影響が出る。

それゆえ米中双方は自国を戦場にした大国同士の戦争に発展するのを避けようとするはずだ。その一方で日本と台湾は確実に戦場となる。戦争回避が絶対的に重要なゆえんだ。

だからこそ、再度強調する。中国の考え方、習近平氏の考え方を変えるだけの強い力、即ち抑止力を持たなければならない。CSISの報告は台湾有事では必ず中国は日本をも攻撃することになっている。CSISでなくとも、それはほとんどの専門家の見方だ。ならば、日本は最も賢く軍事費を使い、力を強化することだ。鍵のひとつが潜水艦である。静粛性に優れた世界トップ水準の潜水艦を中国は最も嫌がる。軍事費の使い方、経済、国の在り方の全てを戦争を前提に考えなければならない局面に私たちは立ち至っている。そうした状況の厳しさを日本全体で共有したい。

（2023年1月26日号）

米軍幹部の警告、2025年に米中戦争

「2025年、中国は台湾に侵攻し、米中は戦争に突入する」

これは米航空機動軍司令官、マイケル・ミニハン空軍大将が隷下部隊の指揮官と空軍作戦部隊指揮官に宛てたメモの核心部分である。2023年1月27日に米国のNBCテレビがスクープした。他人事ではない。わが国も米台両国と協力して中国と戦う局面に立つ。それが2年後、現実になると警告しているのだ。

「次の戦いへの準備に向けた2023年2月命令」と題されたメモは9項目にわたる簡潔、直截な指示から成る。ミニハン空将は「私が間違っていることを願っている」との書き出しで、「私の直感では、2025年に戦うことになる」と断言している。

理由として、①習近平中国国家主席は3期目を確保し、その直後に戦争諮問会議を設置した。②24年の台湾総統選挙が中国に侵攻理由を与える。③米国大統領選挙も同じ24年で、選挙に気をとられる米国の隙を中国は突く。「習近平のチーム、理由、機会の全てが25年に向けて揃ってい

る」と書かれている。

ミニハン氏は現職に着任する前の19年9月から21年8月までインド太平洋軍副司令官だった。航空機動軍の最大の役割は輸送機や空中給油機を運用し世界各地の米軍の物資・兵站輸送を行うことだ。これを台湾有事に即して考えれば、日米台の側が第1列島線を筆頭にどの地域においても通信能力、即応性、統合一体性などの能力をフルに活かして守りきることができるように兵站輸送任務を完璧にやり遂げることだ。ミニハンメモも第1列島線を守りきる決意で貫かれている。中国を抑止し、打倒するために第1列島線の内側を要塞化した上で、統合一体化した機動部隊が縦横無尽に即応する。勝利するには、現状で何が足りないのか。戦術、技術、手順の全ての再検討をミニハン氏は命じている。「もし貴官が現在の訓練に慣れているのであれば、それは十分なリスクを取っていないということだ」とまで書いている。

武器使用資格を持つ隊員全員に向けて、日本では考えられない厳しい指示も出している。「武器使用資格を持つ航空機動軍所属の全隊員は躊躇ない殺傷破壊力が最も重要であることを十分に理解した上で、7メートル先の標的に向かって弾丸を発射せよ。頭を狙え」と命じているのだ。

数千もの無人機で攪乱

このような指示を出した上でミニハン氏はこう書いている。

「全ての航空機動軍要員は、法的な準備と心構えができていることを確認するために、各自の個人的な事柄や、基地の法務部署への訪問を予定すべきかどうかについて検討せよ」

全員に厳しい覚悟を求めた上で、任務遂行のために考えられる全てのこと、家族と決めておくことや法的に整理しておくことも含めて身辺を憂いのないようにしておくようにということだ。

右の段落の最後で、全司令官はこの命令を受けて、「2023年2月28日課業終了までに、中国戦に向けた2022年の全成果と、2023年の主要な取組みの見通しを指揮系統を通じて（私に）報告せよ」とも指示している。厳しい緊迫感が伝わってくる部分だ。

中国との紛争で予想されるのが無人機の大群による攻撃だ。彼らはミサイル攻撃に加えて数百機、数千機の無人機を一挙に飛ばして、日米台が打つ手もなく収拾のつかない状況に陥る戦い方を準備していると言われる。それに対して、KC135部隊に無人機100機を航空機1機で空輸する手段を整えよと命じている。

烈しい危機感に満ちたこのミニハンメモについて、国防総省は「国防総省の見解を代表するものではない」と発表した。元陸上幕僚長の岩田清文氏の解説だ。

「ミニハン司令官は『私の直感では』という前提を置いています。25年には米中戦争が起きると、ズバッと大予測した。その予測は米国政府内で予め共有されていたと思いますが、公に言うのは影響が強すぎる。ミニハン氏がそれは私の直感です、私見ですと言えば、米政府に迷惑がかからないということでしょう」

オースティン国防長官は台湾有事は近いとは思わない、紛争は回避可能だと述べている。他方、数々の米国要人の発言からは、米国政府内で習近平氏が台湾侵攻に踏み切る時期は「早い」との見方が強まっているのも間違いない。2022年10月、米海軍作戦部長のマイケル・ギルディ氏はシンクタンク「アトランティック・カウンシル」での講演で中国の台湾侵攻は23年にも起きる可能性があると語った。また同月、ブリンケン国務長官は「中国は以前に較べてかなり早い時間軸で（台湾）再統一を目指すと決意したと思われる」と語っている。

ここでひとつ、疑問がある。日米両国政府は1月12日に外務・防衛両大臣による「２＋２」（日米安全保障協議委員会）の会合を開き、13日には首脳会談を行った。一連の会合で、日本の防衛努力は歴史的な変化をもたらすと評価された。年来の日米両軍の盾と矛の役割分担を超えて、日本は米国に守られるだけの国ではなくなったとも評価された。

侵略は早期に始まる

ならば、わが国の日米防衛協力のための指針（ガイドライン）の見直しが必要なはずだ。しかし、日米両政府はそのことに全く言及しない。ガイドラインとは、国防に関する日本政府の基本的考え方で、防衛政策の根本をなすものだ。日本の国防力強化によって年来の日米関係が変わるのであれば、ガイドライン見直しは必須である。この点について、米政府中枢に近い人物が語った。

「今は一刻も早く軍事的能力を強化しなければならない局面です。他方、ガイドラインの見直しには膨大な時間とエネルギーが必要です。中国の速い動きを眼前に見るいま、日米共にガイドラインの見直し作業に割く労力も時間もないと思います」

岩田氏が振りかえる。

「日米の２＋２会合で、林芳正外相は、記者から聞かれもしないのにガイドライン見直しは考えていないと言いました。また1月16日、松野博一官房長官は、日本の反撃能力取得という理由のみで直ちにガイドラインを見直す必要があるとは思えないと語りました。今は正に緊迫のときで、全ての能力を自衛隊の強化、抑止力強化に振り向けたい。そうしなければ、近づきつつある中国の侵略に間に合わないということでしょう」

日米両国は中国の侵略は早期に始まる、それへの備えが最優先だという理解で一致しているのだ。

ミニハンメモを特徴づける緊張感を、大袈裟だ、極端だとして退けるのは間違いだろう。過日、米戦略国際問題研究所（CSIS）が2年かけて行った米中戦争の机上演習ではどのケースでも米軍が勝利した。同演習は中国の核の使用を視野に入れていない。しかし、中国が核を使わないという保証はないのであり、米中戦争が起きれば、日本の悲劇は想像もできない。だからこそ最悪のシナリオを考えて中国の侵略戦争を止めるあらゆる努力をすることが必要だ。

（2023年2月9日号）


【追記】

ウクライナ侵略戦争への米国の軍事・人道支援の総額は2023年1月段階で約10兆円に上る。群を抜く支援の規模からも、米国の意志がウクライナ侵略戦争の行方を決めることは明らかだ。

米国では24年に大統領選挙が行われる。バイデン大統領はすでに出馬すると宣言した。他方、共和党ではトランプ前大統領が出馬宣言をしている。その他にも少なからぬ候補者が名乗りを上げており予測するのは難しい。けれど、たとえばトランプ氏が大統領になれば、氏は、即、ウクライナへの支援は打ち切ると明言している。そのときウクライナは停戦するのか、EUの支えを得て戦い続けるのか。ロシアは中国の支えを得て戦い続けるのか。世界は混沌に陥るだろう。私たちはありとあらゆることを考えなければならないのである。米国がウクライナ支援をやめて突然、こちら側陣営が崩れ落ちることもないわけではないのである。何があっても日本は独自の力で国と国民を守れるようになっていなくてはならないと、繰り返すゆえんである。

ウクライナ侵略戦争、日本がなすべきことは何か

国際社会の動きは追いつくのが難しい程、速い。

２０２３年2月18日、ブリンケン米国務長官と中国共産党政治局員で外交の総責任者、王毅氏の会談がドイツ・ミュンヘンで行われた。目立ったのは双方の強気な姿勢だった。ブリンケン氏は中国に、スパイ偵察気球を米国土の上空に飛ばすのを止めよと強く要求し、ロシアへの中国の政治的援助が近い将来、ウクライナ戦争用の武器弾薬供給へと移行することに懸念を強めていると明言した。会談直後、ブリンケン氏は積極的にメディア取材に応じ、米国のＮＢＣに語っている。

「殺傷兵器のロシアへの供給を中国が強く考えていることを示す、より詳細な情報を我々は持っている」「（そのようなことは）米中関係に深刻な結果をもたらすと、王毅氏に率直に伝えた。バイデン大統領も習近平主席に複数回、伝えてきた」

「率直に」（directly）とは、外交用語で「厳しく」という意味だ。

中国側は直ちにコメントを発表した。王毅氏は米国の要請でブリンケン氏に会ってやったとし、「中露関係について米国の指図は受けない」と反発した。そもそも外相会談前、王毅氏はミュンヘン安全保障会議の場で米国を「ヒステリーで馬鹿げている」と口汚く批判していた。外相同士のやりとりは両国の緊張を緩和できなかった。

「これがアメリカだ！」

20日、バイデン米大統領が突然ウクライナを訪問し、ゼレンスキー大統領に語りかけた。

「1年前、ワシントンは夜中、キーウは早朝だった。大統領、貴方は私への緊急電話で、空にはロシア機が、国境には戦車が押し寄せ、大地が攻撃を受けていると、切迫した声で語りました。貴方のために何をすべきかを尋ねると、直ちに世界の指導者を招集してウクライナを支援して欲しいと貴方は答えました。1年が経った今、キーウは雄々しく耐え続けています。女性、子供、全ての人々が立ち上がった。世界もです。ＮＡＴＯが大西洋で、日本が太平洋で立ち上がりました」

ゼレンスキー氏も応えた。

「バイデン大統領はウクライナが最も困難な時に来て下さった。ウクライナは自身の自由のために、世界の自由のために戦い続けます」

バイデン氏は世界各国による戦車７００輛をはじめ火器、砲弾、ロケットシステム、対艦対空防衛システムに加えて巨額の経済援助について語った。「これがアメリカだ！」という勢いのある件りだった。

翌21日、プーチン大統領が1時間30分を超える演説をロシア連邦議会で行った。プーチン氏は平然とした表情で今回の戦争は西側が始めた、ロシアは平和的解決に向けて可能な全てのことをやっていると、虚言を並べた。

また西側はナチス勢力を育てロシア消滅を図ってきたと氏独特の歴史観を披露した。戦死した軍人たちとその家族に向けて長い時間を割いて感謝と敬意を表した。ロシア経済のさらなる成長を促す大計画を紹介し、最後に訴えた。

「国民の中には西側の魅力的な街やリゾート地区で快適に贅沢に過ごしたい人々もいる。ロシア政府はそれを妨げはしない。けれど彼らはいつもその地で二流の異邦人として扱われるだけだ。ロシア人にはもうひとつの選択肢があるはずだ。それは祖国と共にあることだ」

100万人ともいわれる、主として知的な若い世代がロシアを去ってしまった現実を踏まえての言葉であろう。長広舌の底流には歪曲された歴史観と西側社会、とりわけ米国への猜疑心と深い恨みの感情が溢れていた。

22日、王毅氏が訪露した。ブリンケン氏との烈しい応酬を重ねた姿とは打って変わってプーチン氏と友好的な固い握手を交わし、語った。

「現在、国際情勢は複雑で厳しいが、中露関係は国際情勢の変化による試練に耐え、成熟し、強靭で、泰山のように安定している」「中露は戦略面でぶれることがない。戦略的合意を維持し、戦略的協調を強化する」とも強調した。

プーチン氏は習氏に向けた「心からの挨拶」を王毅氏に託し、「国際社会の中で中国と連帯し協調していく」と誓約した。両国間の貿易が2021年には1850億ドル(約21兆4000億円）に達し、これを24年には２０００億ドル（約26兆円）にまで伸ばしたいとして、中国の経済協力に「最も深い感謝を表明する」と低姿勢で語った。

両国の基本姿勢は22年12月30日に行われた習・プーチン会談の重視が基軸である。一言で言えば軍事関係を深めるという意味だ。

中国は今日に至るまでウクライナ侵略戦争を戦争とは呼ばない。「ウクライナ危機」の表現にとどまる。ロシアが侵略したという事実に目をつぶり、非難もしない。その中国のウクライナ戦争に関する考えは侵略から1年が過ぎた２０２３年2月24日に明らかにされた。「ウクライナ危機の政治的解決に関する中国の立場」である。「各国の主権の尊重」から始まり、「冷戦思考の放棄」「一方的制裁の停止」などに混じって「停戦」「和平交渉の開始」など12項目から成る。

中国の仲介を退けたゼレンスキー氏

要約すればロシア・ウクライナ双方に歩み寄りを勧め、対話と交渉を再開せよと説く内容だった。ロシアの蛮行を責める箇所はない。ウクライナの領土保全もロシア軍のウクライナ撤退にも全く触れていない。

ゼレンスキー氏は習氏との会談について「世界の安全保障のために有益だと考える」としながらも「戦争の当事国だけが和平案を提案できる」と語り、中国の仲介を退けた。バイデン氏は「プーチン氏が歓迎している。これがいい案であるはずがない」と率直なコメントで直ちに中国の案を却下した。

ここから中国はどう出るのか。彼らは米国が日本とオランダを説得して共に実施しようとしている半導体供給網の確立と中国の排除に怯えている。大きな痛手となる強力な制裁を何とか回避しなければならない。彼らはバイデン氏や民主党が来年の大統領選挙に向けてウクライナ戦争で平和実現に成果をあげたいと願っているはずだと見ているのだ。その「弱味」を突いて、自国の権益確保の道を維持したい。ロシアに軍事的に肩入れする構えは米国の譲歩を引き出す戦術でもあろう。強気の中国に対して一番してはならないのが譲歩であり妥協である。

日本のすべきことは明らかだ。王毅氏は林芳正外相にデカップリングは考えるな、（米国に従わず）独自外交をせよと迫った。バイデン氏は「日本は太平洋で立ち上がった」と言った。わが国は日本自身のために立ち上がるべきだ。岸田文雄首相は安全保障3文書を着実に実現すること、ウクライナを訪問して私たちはウクライナと共にあると明確な意思表示をするのがよい。

（2023年3月9日号）

台湾・日本有事で中国は日本をいかに攻撃するか

国際刑事裁判所（ＩＣＣ）が２０２３年3月17日、ロシアのプーチン大統領にウクライナからの子供連れ去りに責任があるとして、戦争犯罪容疑で逮捕状を出した。ロシアの歴史を美化し、大ロシア帝国の復活と、自らがその盟主におさまることを夢見るプーチン氏にとって、耐え難い恥辱であろう。

ＩＣＣの決断は恐らくプーチン氏の逮捕にはつながらない。しかし、人類が21世紀のいま、プーチン氏の侵略戦争を決して許さないという固い意志を示した点でこれを高く評価したい。国際政治におけるプーチン氏の影響力はさらに低下するであろうし、プーチン陣営の側に立つ国々の指導者も、プーチン氏と同類と見られることを覚悟しなければならない。

２泊３日で国賓としてロシアを訪れた中国の習近平国家主席もプーチン氏と同類である。中立を装ってロシアとウクライナの仲介者たらんとするが、習氏自身がウイグル人ジェノサイドを主導する悪人であることを忘れてはならない。習氏とプーチン氏の握手は人類の悪夢だ。

ウクライナへの侵略戦争をやめないロシアに中国は「1945年以来、最大規模の戦争を遂行するために武器と弾薬を供給する陰謀を企てている」と、マット・ポッティンジャー氏が3月6日「ワシントン・ポスト」紙の講演で語った。氏はトランプ政権の安全保障担当大統領副補佐官、米国屈指の中国問題専門家だ。

事実、米国政府当局者は18日、ロシアがウクライナの戦場で中国製弾薬を使用したことを確認したと発表した。中国が直接ロシアに供与したのか、第三国経由でロシアに渡ったのかは不明だが、中国製弾薬はすでに戦場で使われているのだ。多数の中国製無人機も、その経路は明らかにされていないが、ウクライナ戦に投入済みであることも判明している。武器・弾薬の供給という陰謀は進行中だと考えてよいだろう。

こんなことをしながら、中国は中立の立場を取る平和の仲介者であると、繰り返す。自身をピース・メーカーとして位置づける習氏だが、薄皮を一枚めくれば、習氏はロシアを支えながら、ウクライナ戦の顚末から台湾侵略の教訓を得ようとしているにすぎない。

まずエネルギーが枯渇する

米国では2023年1月27日に航空機動軍司令官のミニハン氏が「私の直感では」と前置きして「2025年に（中国と）戦うことになる」と述べ、麾下5万人の隊員に準備を命じたことはすでに紹介した。ミニハン氏の指揮する機動軍は輸送機、空中給油機計500機を有し、台湾有事では兵士、兵器、物資をグアム、ハワイ、米本土から台湾に空輸する役割を担う。

元陸上幕僚長の岩田清文氏は、このような大規模な輸送任務は緻密かつ複雑で、計画の立案、完成までに年単位の時間を要すると指摘する。

米軍はすでに動いているのである。2月24日には「ウォール・ストリート・ジャーナル」紙が台湾常駐の海兵隊員を現在の4倍の100～200名規模に増やすと報じた。米国政府の台湾政策は戦略的曖昧路線だが、実際には台湾支援の軍事作戦を形にしつつある。

中国はどう対峙しようとしているのか。昨年8月2日、米下院議長のペロシ氏が訪台したとき、私たちは中国の台湾攻略法を見た。人民解放軍（PLA）は台湾の周りに6か所の訓練区域を設けて台湾を完全に封鎖した。これで何が起きるか。まず、エネルギーの枯渇から台湾全土がブラックアウトするだろう。

蔡英文総統は脱原発を掲げており、LNG（液化天然ガス）の備蓄を使い果たせば台湾の電力供給は止まる。備蓄は11日分しかない。昨年8月の中国の軍事訓練は容赦ない形で7日間続いた。あと4日続けば、と考えれば背筋が寒くなる。本物の有事の際、中国はあの通りにやるだろう。そして中国が7日で封鎖を解くことはないだろう。

これは即、日本の危機でもある。台湾の海上封鎖により日本のシーレーンも南シナ海で切られ、日本は台湾海峡もバシー海峡も通れない。台湾同様、航路を閉ざされエネルギーが枯渇する。

PLAの次の行動は台湾への着上陸攻撃だ。ロシアがウクライナに仕掛けた無慈悲な攻撃が台湾で再現される。習氏がウクライナにおけるロシアの失敗から学んだことがここで活かされる。中国が台湾有事で勝利するには、米軍を台湾に寄せつけないことが肝要だということだ。

米軍と台湾の距離はグアムから3000キロ、ハワイから8000キロ、本土から1万キロである。第三次世界大戦、とりわけ核戦争を恐れる米中は互いの本土への攻撃は控えるだろう。

次に学校、病院、駅、幹線道路が破壊される

日本に関してはどうか。ここで想い出すのは昨年10月17日、ブリンケン国務長官がスタンフォード大学で語ったことだ。ブリンケン氏は中国が台湾海峡の現状維持政策を変えた件についてこう語った。

「北京は統一をもっと早い時間軸で実現しようと決断した。平和的手段が機能しないなら、威圧的手法を使う。それが機能しないなら、軍事力行使で目的を達成するだろう」

「軍事力行使で目的達成」の件りは日本に適用される。沖縄本島の嘉手納基地から台湾までは750キロ、人民解放軍は米軍を台湾に近づけさせないために、沖縄の嘉手納基地のみならず、与那国、石垣、宮古などの島も叩くと考えて準備しなければならない。島々を無力化するために、発電所、電気通信システム、海底ケーブルなどの破壊や切断は真っ先に行われると、岩田氏は指摘し、こう語る。

「そのような状況が出現する頃には米軍も台湾に上陸していると考えられます。即ち日米同盟が発動されます。ここからは完全に軍事行動に移ります。ここで強調したいのは、ロシアがウクライナにしているのと同じこと、学校、病院、駅、幹線道路など、社会全体を機能不全に突き落とすために日本全土の基幹インフラを、中国は攻撃するだろうということです。

戦後80年近く、平和は当然だと信じてきた日本人には信じ難いでしょうが、台湾有事、日本有事とはこういうことなのです」

戦争を起こさせないための強い抑止力を持つには何をすべきか。まず第一に、台湾防衛に立ち

上がる米軍を日本が全力で支援することだと岩田氏は強調する。日本がここで日和り見を決めこんではならないだろう。次に米軍との協力で沖縄・南西諸島を守り、日本全体を中国のミサイル・テロ攻撃から守る体制を作ることである。その上で沖縄・南西諸島の住民、台湾の邦人、台湾から逃れてくる多くの台湾人及び外国人の受け入れ態勢の構築に一日も早く入ることだ。こうして初めて日本の台湾防衛の意志は本気なのだと知らしめることができる。本気で台湾を守る、そのことは日本を守ることだと、日本政府が国民に明確に打ち出すことが重要だ。

（2023年3月30日号）

日中首脳が演じた世界の善と悪

岸田文雄首相は2023年3月20日、インドでモディ首相と首脳会談を行い、その日夜にチャーター機でポーランドに飛んだ。「遅い、遅い」といわれたウクライナ訪問を果たすために、列車に乗りかえて10時間東に進み、21日、ウクライナの首都キーウに到着した。

ゼレンスキー大統領と会談し、ロシアによる侵略戦争を「国際秩序の根幹を揺るがす暴挙だ」と非難した。その後、ロシア侵略の犠牲になった400人以上が眠るブチャの街をゼレンスキー氏と共に訪ね、お墓に花を捧げた。

日・ウ共同声明では両国関係を「特別なグローバル・パートナーシップ」に格上げし、「ロシアに対する制裁を維持・強化することが不可欠だ」との決意を示した。中国を念頭に「東シナ海や南シナ海情勢への深刻な懸念」を表明し、「台湾海峡の平和と安定の重要性」が強調された。日本国首相は「今後も日本ならではの形で切れ目なくウクライナを支える」という言葉を残してウクライナを後にした。

20日、中国の習近平国家主席はモスクワを訪れ、プーチン大統領と会談した。両者は2回会談を行い、計10時間、語り合った。

岸田氏とゼレンスキー氏、プーチン氏と習氏。まるで善と悪のチームの代表のようだった。「ワシントン・ポスト」(WP)紙が3月22日、二つの首脳会談を写真入りで報じ、「岸田のキーウ訪問は習のロシア訪問と際立ったコントラストを成した」と、見出しにつけた。

WPは、「国際刑事裁判所の逮捕状で戦争犯罪に問われ、孤立を深めるロシアの指導者、プーチンを、習はモスクワへのさらなる支持表明として中国に招いた」、「ロシア・ウクライナ紛争で互いに逆陣営につく(岸田、習の)アジアのリーダー二人が各々の首脳会談を行った」と報じた。

岸田氏の訪ウのタイミングは計算されたものではなかったが、日中の象徴的かつ鋭いコントラストの中で、ロシアによる侵略が日本の対露政策をはじめ、アジアの安全保障関係の一新につながったことが鮮明になったとWPは論評した。日本が脱戦後体制で安保政策を大きく変えつつあること、同じ価値観を共有する非常に幅広い連合体を創ろうとしていることなどを、いつもは日本に厳しい論説を展開することで知られるWPが好意的に報じた。

日本国内でも岸田氏のキーウ訪問は支持されている。G7首脳の中で一番遅い訪問だったことはすでに忘れられ、支持率が回復の兆しを見せ始めた。岸田氏は強運の人である。

ロシアを中国の下に従わせて

岸田・ゼレンスキー会談で、岸田氏は切れ目のないウクライナ支援を約束し、日本国は21世紀の地球で侵略戦争は許さないとの国際社会の価値観を守り推進する力となることを明確にしたが、中国はどうか。

習・プーチン会談の内容が明らかにされたわけではないが、共同声明から多くが読み取れる。共同声明ではまず、中露は互いを優先的協力パートナーと見做して、「中露新時代全面戦略協力パートナー関係」を強化すると謳う。互いの核心的利益を守り合う。ロシアは「『一つの中国』の原則を順守し、台湾が中国領土の不可分の一部であることを認め、いかなる形の『台湾独立』にも反対する」と表明し、中国の世界戦略に悉く支持を表明した。「他に勝る『民主主義』など存在せず、自国の価値観を他国に押し付けることに反対し、イデオロギーで線引きすることに反対し、いわゆる『民主主義で権威主義に対抗する』という偽りの物語に反対」すると喧伝し、明確にアメリカに対抗した。

また彼らは公安、内務両大臣の年次会合を開いて、「カラー革命の防止、東トルキスタン（ウイグル）、イスラム運動を含むテロ分離活動、過激勢力などの取り締まり、法執行分野での協力を強化する」ことも合意した。暗い弾圧社会を力を合わせて創っていこうという企みではないか。長い共同声明の第1の特徴は中国優位の関係がより明らかになったことだ。加えて、両国の反米思想の根深さだ。中国が目指すのはロシアを中国の下に従わせて新たな中華帝国の建設を進めることだと見てとれる。そのための経済協力強化も強調されている。

習氏はかねてロシアとウクライナの戦争について「偏見なしに平和と対話のために仲介する」と喧伝してきたが、共同声明で中国はウクライナ侵略戦争について完全にロシア側に立つ姿勢を示す一方、停戦実現の具体案は示していない。

人類社会を中華風に変える

ロシアは喉から手が出るほど中国の援助を必要としている。一例が中国へのガス輸出増加である。ガス輸出に必要なパイプラインの建設にプーチン氏は必死だ。21日の会談でプーチン氏はパイプラインの建設が前進していると語ったが、習氏は沈黙したままだったと、24日の「ウォール・ストリート・ジャーナル」でトマス・グローブ氏が報じた。

22日付けWPはパイプライン建設の現状を詳報し、プーチン氏がパイプライン建設を「今世紀の偉業」と呼んだにも拘わらず、首脳会談でその期待は萎んだと結論づけた。

同計画は中露間で20年近く議論されてきたが、何度も計画が止まってきた要因が金銭面の問題である。パイプラインの建設、維持費用をどちらがどのように負担するのか、ガスの価格はどのくらいに設定するのか。中国はロシアの足下を見て絞れるだけ絞り取ろうとする。２０３５年までに、中国のガス需要量は現在確保済みの契約と国内でのガス開発プロジェクトで充足され、新たなパイプラインを必要としないという見立てもある。

かつてニクソン大統領は中国とソ連を分断し、中国を米国側に引きつけることでベトナム戦争に終止符を打ち、ソ連との冷戦に打ち勝つ戦略をとった。いま中国はロシアを従え、米国に打ち勝つことを目論む。ロシアは今回、習氏の提案である「地球安全保障構想」「人類運命共同体」「地球発展構想」などあらゆる世界戦略に賛同した。中国はＢＲＩＣＳの他の国々（ブラジル、ロシア、インド、南アフリカ）、ＳＣＯ（上海協力機構）などを自陣営に抱き込み、地球全体を中華の価値観に染めていこうと考えている。

西側諸国とのせめぎ合いの最前線がウクライナだ。その先に台湾がある。日本は世界が注目することができる中国になることだ。この舞台で、中国とは正反対のイメージを世界に発信した。人類社会を中華帝国風に変える中国の野望を打ち砕くのが、日本の使命であろう。その目標に向かって日本の真の力を発揮できる国になることだ。

（2023年4月6日号）

あとがき

２０２３年６月19日、北京。

習近平中国国家主席はブリンケン米国務長官と「会見」した。米国側が切望してやまない会談は、両者が対等の立場で意見を交わす会談ではなく、上位の者が下位の者に言葉を発する会見の形で実現した。公開された一葉の写真が世界に少なからぬ衝撃を与えた。会場の設えはまさに目上の者が目下の者に会う形になっていたからだ。コの字形に配置された席の正面上座に習氏が座り、左右に米中の外交団が同格の形で向き合った。その構図では、習氏の言葉を聞くブリンケン氏は目下という位置づけだ。従来の米中外交儀礼からすれば、異例のことだった。

理屈では確かにブリンケン氏は国務長官（外相）であり習氏は主席だ。同格ではない。だがこれまで習氏はブリンケン氏のみならず、米大統領特使のジョン・ケリー氏にさえ向かい合って座る「同格」の形で会談してきた。ブリンケン氏の前に習氏が会ったマイクロソフト創業者のビル・ゲイツ氏でさえも、隣り合って座った。ブリンケン氏に対して、つまり、米国政府を代表して訪中した人物に対して会談の形を変えたことの意味は深い。中国は形式を重んずる国だ。その形の中に重要な意味がこめられている。中国は言っているのだ。習氏はブリンケン氏の上位にある、中国は米国に対して上位にある、と。

ブリンケン氏の訪中実現まで、米中会談を頻りに求めたのは米国側である。バイデン政権は民主主義は話し合いが基本だ、外交も話し合うことから始まる、従って問題があればある程、対面で直接語り合うことが重要だというメッセージを中国に送り続けた。善意に基づく米国の外交は、しかし、中国には下位の国が展開するへつらい外交に見えるだろう。

バイデン大統領は5月に中央情報局（CIA）長官のバーンズ氏を極秘に訪中させた。バーンズ氏は中国の情報当局者らと会ったのみで政治関係者とは会っていないと報じられたが、全ての情報が習氏に集められるのであるから、そのようなことはさして重要ではない。バイデン氏が最も信頼するCIA長官が訪中したことが重要なのだ。そこに米国の中国に対する期待の大きさがこめられているからだ。

5月10～11日、大統領補佐官のサリバン氏がオーストリアのウィーンで政治局委員であり外交を統括する王毅氏に会った。その10日後、バイデン大統領は、米中関係は「近く雪解けを迎えるだろう」と期待感を表明した。

6月3日、シンガポールで開催されたアジア安全保障会議でオースティン米国防長官が講演した。だがその直前に事件が起きていた。米海軍のミサイル駆逐艦「チャン・フーン」とカナダ海軍のフリゲート艦「モントリオール」が台湾海峡の国際水域を北上中、中国艦船がチャン・フーンを追い抜き、船首前方を二度横切った。一時、中国艦はチャン・フーンの前方140メートルまで接近、チャン・フーンが減速して辛うじて衝突を免れた。

中国人民解放軍（PLA）は5月26日にも南シナ海上空で戦闘機を米偵察機の前方400フィート（約120メートル）に接近させる無謀な行動に出ている。このような状況下での講演で、オースティン氏は米中の軍と軍の意思の疎通が大事だと訴えた。

翌日、中国の国務委員兼国防相、李尚福氏の講演は一方的主張が目立つ内容だったが、とうとう質疑応答でいきり立った。

「この種の事故を防ぐには、軍艦や戦闘機を所有する国々が他国近くの空や海で（他国を）取り囲むような行動をしないことだ。なぜそこに行くのか。我々に言わせれば、自分のことをやれ、自分の戦艦、戦闘機を大事にしろ、自分の領空領海の面倒を見ろということだ。そうすれば何の問題も起きないはずだ」と、まくし立てた。

この暴言の後、6月19日に先述のブリンケン氏と習氏との会見が行われた。この会見でも米中間の軍対軍の意思疎通の場は約束されなかった。

7月6日、米財務長官、イエレン氏が訪中した。その数日前、中国側は半導体の素材であるガリウム及びゲルマニウム関連品目の輸出規制を8月1日から実施すると発表した。そんな中、イエレン氏はペコペコペコと3回お辞儀する卑屈さで叩頭外交だと評された。

一方的に米国が接近している構図である。

ただ米国の懸念は正しい。確かに米中関係は悪化している。22年8月のペロシ下院議長の訪台、23年2月の中国のスパイ気球撃ち落としなどを経て「最悪」水準に落ち込んだ。しかし、元凶は中国だ。台湾を「ひとつの中国」という原則の範囲内で、日米及び世界が支えるのは当然だ。台湾を第二の香港にさせないための支援に異常な軍事的恫喝で臨む中国側が不条理なのだ。

だがバイデン氏以下米民主党は中国の本質を理解できていないのだ。中国は退く者には踏み込む。宥和外交には圧力外交で返す。彼らが信奉するのは力である。

ブリンケン氏は中国訪問を締めくくる記者会見で、「中国が米国の求める肝心の軍と軍の対応に応じないのであれば、これから先の対話を続ける意味はあるのか」と問われ、「我々の利益を追求し、価値を守り、意図を明らかにする道は外交を通して直接対話することだ。それが私の責任だ」と答えた。この理想論は、中国には全く通用していない。

バイデン政権は中国を理解していないだけでなく、国際政治に果たす軍事力の役割についても理解せず、力の行使は控え目だ。中露双方から試されてしまうゆえんである。周知のようにバイデン氏はウクライナ侵略戦争でロシアの核の使用を恐れる余りウクライナへの軍事支援を一定水準におさえてきた。他方、中国はその間に究極の軍事大国を目指して努力を続けてきた。

中露は軍事力の中で最重要の重きをなすのが核戦力だと心得、核の比重を拡大中だ。世界は新たな核の脅威の高まりの中にあり、中露双方による核使用の危険性が高まっている。

ロシアの戦略は、米国に核兵器を使わせない範囲で核をちらつかせ、脅しや強制で既成事実を作り上げ、現状変更を達成しようというものだ。本書でも指摘したように、ロシアは2019年に破棄されたINF（中距離核戦力全廃条約）に違反して、中距離核巡航ミサイルを密かに開発して配備していた。23年2月には新START（新戦略兵器削減条約）の履行を停止した。

そして中国の核の野望は凄まじい。台湾統一では武力行使の放棄は約束しないと度々言明し、中国内陸部ではICBM（大陸間弾道ミサイル）用のサイロが320か所も確認されている。中国が核の大増産に励むのは、米国に並び立つためには強大な核戦力が欠かせず、核こそ最終的に勝敗を決する最も強力な兵器だと信じているからだ。彼らは35年までに核弾頭1500発を保有すると見られるが、そこで止まることはない。米国を追い抜き、米国を圧倒する水準に到達するまで、35年以降も核の大増産を続けるだろう。

米国は現在保有する核弾頭、5550発を1万発台まで増産しなければ、中露の核には向き合えないというのが軍事戦略専門家らの一致した見方だ。理論上、大増産が必要だと解っていても、バイデン政権はそのための予算も具体策も準備していない。のみならず、軍事費の事実上の削減という反対方向に進みつつある。

習氏は17年の全国人民代表大会で、中華民族は建国100年の2049年には世界の諸民族の中にそびえ立つと演説した。その目標に向かってまず、太平洋を米国と分割統治する、次に米国を凌駕するという目論見だ。習氏が度々強調する「人類運命共同体」としての地球社会の頂点に最終的に立つのは中国であり、中国を統率する自分自身なのだという自負は微塵もゆらがない。

6月20日、米紙「ウォール・ストリート・ジャーナル」（WSJ）が驚きの事実を報じた。米国の裏庭、キューバに中国との合同軍事訓練施設の建設計画が進行中だというのだ。場所はキューバの北部海岸、フロリダ州まで最短で100マイル（約160キロメートル）。極めて近い。訓練施設にはいずれは人民解放軍（PLA）が常駐し、米国を監視、盗聴する拠点となると見られている。

中国はキューバに通信傍受施設4か所をすでに確保しており、19年には機能を大幅に近代化したとも報じられた。キューバにおける一連の軍事展開は人民解放軍の「プロジェクト141」の一部だとされる。同プロジェクトは、PLAの軍事拠点を世界規模に拡大し、兵站を含めたネットワークの完成を目的とする。カンボジアの港もアラブ首長国連邦における軍施設もその一環と見られる。

米国にとってのキューバの重要性は、旧ソ連時代に起きたキューバ危機を思い出せばよい。あのとき、J・F・ケネディが核戦争も辞さない悲壮な覚悟で乗り切った。21世紀のキューバ危機が起きかねないいま、バイデン氏は対応できるか。バイデン政権はキューバに接触し、計画断念を中国に働きかけ、ブリンケン氏は北京で、「深い懸念」を中国側に伝えた。だが、ブリンケン訪中の成果が、「以降も話し合うことに同意したこと」だと論評されたように、実質的な成果はなかった。話し合いを通じて中国がキューバ問題で譲るとは思えない。

バイデン政権のキューバ危機への対処、米国の核戦力強化の行方、いずれも日本に関わる問題だ。中国の大幅な核軍拡に備えて米国が核弾頭を増強する場合、核の使用、その結果である甚大な被害も含めて、全て米国に任せ、責任も米国に押しつけることはもはや許されない。核問題をわが事として考えなければならない。中露に対抗する米国の立場、即ち、核軍拡政策を、わが国は積極的に支持するしかないだろう。

中国の世界戦略は着々と進む。台湾との関連で、私たちはいつも尖閣諸島の行方を気にしがちだが、中国が狙うのは沖縄、南西諸島全体である。中国共産党機関紙「人民日報」は6月4日、一面トップで、北京市にある歴史資料館「中国国家版本館中央総館」を習氏が6月1日に訪問したと報じた。習氏はそこで琉球の歴史に詳しく触れた。

氏はまず、中国が国家として過去の書籍、文献を収集し展示する「中国国家版本館」は「私が自ら承認したプロジェクト」だと語り、琉球史を記す版本の前で足を止めた。案内の職員が『使琉球録』（明の時代に琉球に渡った人々がまとめた記録）を取り上げ、「これは釣魚島（尖閣諸島）が中国に帰属することを記録した書物の初期版でございます」と説明した。

習氏は自分が福州（福建省の省都）で仕事をしていたとき、そこに「琉球館、琉球人墓」のあることを知った、閩人（びんじん）三十六姓の人が琉球に移り住んだ歴史もあると言った。

右の発言は、琉球は当時の高い文化を中国に学び文化的影響を受けた、その末裔はいまも沖縄に沢山いるだろうとの指摘である。同発言は間違いなく中国全土の研究者らを琉球史研究に走らせる。沖縄史ではなく琉球史である。彼らは琉球は中国の属領だったという歴史物語を紡ぐことになる。

中国共産党は日中国交回復の時から尖閣諸島を奪い取ることを考えていた。かつて日本人がそこに住み、漁をし、尖閣神社の跡まであるのに、彼らは中国領だと言い張ってやまない。事実上の中国海軍である海警の艦船を通年、尖閣の海に侵入させ続けて今日に至る。今、明確になってきた中国の狙いは、驚くことに沖縄にとどまらず、日本全体を属領とすることだ。

5月23日、自民党安全保障調査会にＰＬＡの元副総参謀長、孫建国氏が招かれ語った。

「琉球はもともと中華圏だが、もし独立すると言ったら？　いや沖縄に特別な意味はない。北海道でもいい」

沖縄も北海道も同じ、つまり日本全体がもともと中華圏だったと言っている。同種の発言は中国の「中華民族琉球特別自治区準備委員会」の要人らによってテレビなどを通じて拡散されている。沖縄は沖縄である以前に中国の属領の琉球だという理屈から、沖縄だけでなく北海道まで日本全体が中国領だという異次元の歴史捏造に拡大されつつある。習氏の発言が、中国全体を動かし始めている。この戦いは日本の命運を左右する複雑で烈しく、困難な闘いになる。

軍事、経済、文化、道徳、あらゆる点で中国は他国よりも高い次元にあると主張し、「人類運命共同体」のリーダーであろうとする。周辺国の政治的意思を中国の望む形に誘導しようとする。その中国にどう対応するか。まず、国際社会の連帯を強めることだ。中国は地球上のほぼ全ての国を自らの影響下に置きたいと考えている。およそどの国も餌食にされかねない。だから、これらの国々との協力が大事だ。日米、日欧関係の強化は無論、フィリピンやインドとの絆を飛躍的に強化するのがよい。

フィリピンはすでに米国に新たに4か所の基地を提供した。インドは中国との国境に10万の軍隊を配備している。後方には20万の軍隊が控えている。中国も同様の布陣を敷いている。インドを代表する戦略家でインド政策研究センター名誉教授のブラーマ・チェラニー氏が語った。

「中国が台湾有事を起こすとき、国境に配備されているインド軍30万の脅威を、中国は意識せざるを得ないでしょう。国境線を破られないために、中国は自軍の兵を他に移すことはできません。人民解放軍は200万人以上の軍隊ですが、インド軍も同規模です。インドは中国に対する強い抑止力になっていると思います」

そのとおりであろう。国際社会によく目配りして、対中抑止力を高度に維持するのがよい。

次に中国の実態を冷静に見ることだ。中国経済は低迷中だ。成長率を中国当局は5%などというが、実際ははるかに低いと見られている。若者の失業率は20%、労働人口も減少するばかりだ。習氏の社会主義統制経済、国有企業優先、民間企業の圧迫などはすべて、経済を圧し潰す。だからこそ、習氏はビル・ゲイツ氏を対等の客人として扱った。イーロン・マスク氏もブリンケン氏より先に中国要人と会う機会を得ている。中国側が喉から手が出るほど、投資を欲しているからだ。中国は決してオールマイティでも、安定しているわけでもない。中国の力を過大評価しないことが大事だ。

最後に、わが国の真価に目醒めよう。歴史を振りかえり、7世紀初頭にわが国は中華文化と訣別し、大和の道を歩み始めたこと、わが国の文化は中華のそれよりもはるかに人間を大切にするものであることなどを忘れてはならない。わが国も米国も民主主義国であるために統制がとれていないことも、欠点もある。しかし、中国よりはるかに優れた国だ。人間が人間として生きることの出来る我々の側の社会の在り方に、自信をもつのがよい。

ただ、このすばらしい力を発揮するにはわが国は何よりもまともな独立国にならなければならない。他の民主主義国同様に自衛隊を国軍と位置づけ、必要な憲法改正と法整備を急ぐことだ。独立国としての土台を整える日本を、米国は改めて評価し、中国は畏れることだろう。

異なる価値観を掲げて世界制覇を狙う中国は異形の敵である。異形の勢力に対峙するには、私たちが国際社会に遍く通用する普遍的価値観を掲げ、強く賢いまっ当な国になることだ。

令和5年（2023年）7月13日

本書は「週刊新潮」の連載「日本ルネッサンス」に加筆し、まとめたものです本書へのご感想をぜひお寄せ下さい。

櫻井よしこ　Yoshiko Sakurai

ベトナム生まれ。ハワイ州立大学歴史学部卒業。「クリスチャン・サイエンス・モニター」紙東京支局員、日本テレビ・ニュースキャスター等を経て、フリー・ジャーナリストとして活躍。『エイズ犯罪　血友病患者の悲劇』（中公文庫）で大宅壮一ノンフィクション賞、『日本の危機』（新潮文庫）を軸とする言論活動で菊池寛賞を受賞。2007年に国家基本問題研究所（国基研）を設立し理事長に就任。2010年、日本再生に向けた精力的な言論活動が高く評価され、正論大賞を受賞した。著書に『何があっても大丈夫』『日本の覚悟』『日本の試練』『日本の決断』『日本の敵』『日本の未来』『一刀両断』『問答無用』『言語道断』（新潮社）『論戦』シリーズ（ダイヤモンド社）『親中派の嘘』『赤い日本』（産経新聞出版）などがある。
著者の公式サイトはhttps://yoshiko-sakurai.jp
国基研の公式サイトはhttps://jinf.jp

カバー写真　Getty Images

異形の敵　中国

著　者　櫻井よしこ

発　行　2023年 8 月20日

新潮

発行者　佐藤隆信
発行所　株式会社新潮社　郵便番号162-8711
東京都新宿区矢来町71
電話：編集部　03-3266-5611
読者係　03-3266-5111
https://www.shinchosha.co.jp
装幀　新潮社装幀室
印刷所　株式会社光邦
製本所　大口製本印刷株式会社

ISBN978-4-10-425318-0　C0095
価格はカバーに表示してあります。